Exercícios de bioenergética

CIP-BRASIL. CATALOGAÇÃO NA PUBLICAÇÃO
SINDICATO NACIONAL DOS EDITORES DE LIVROS, RJ

L953e

Lowen, Alexander
Exercícios de bioenergética : o caminho para uma saúde vibrante / Alexander Lowen, Leslie Lowen ; [ilustração Caroline Falcetti , Walter Skalecki] ; [tradução Vera L. Marinho, Suzana D. de Castro]. - [9. ed., rev.]. - São Paulo : Summus, 2020.
152 p. : il. ; 21 cm.

Tradução de: The way to vibrant health: a manual of bioenergetic exercises
ISBN 978-65-5549-011-4

1. Psicoterapia bioenergética. 2. Bioenergética. 3. Corpo e mente (Terapia). 4. Exercícios terapêuticos. I. Lowen, Leslie. II. Falcetti, Caroline. III. Skalecki, Walter. IV. Marinho, Vera L. V. Castro, Suzana D. de. VI. Título.

20-67213 CDD: 615.851
CDU: 616.8-085.851

Leandra Felix da Cruz Candido - Bibliotecária - CRB-7/6135

Exercícios de bioenergética

O caminho para uma saúde vibrante

Alexander Lowen e Leslie Lowen

Do original em língua inglesa
THE WAY TO VIBRANT HEALTH
A manual of bioenergetic exercises

Editora executiva: **Soraia Bini Cury**
Assistente editorial: **Michelle Campos**
Tradução: **Vera L. Marinho e Suzana D. de Castro**
Revisão técnica: **Maria Silvia Mourão Netto**
Revisão da tradução: **Samara dos Santos Reis**
Ilustrações: **Caroline Falcetti** (p. 19, 27, 36, 37, 49, 102, 107b, 113a, 120, 124) **e Walter Skalecki** (todas as outras)
Projeto gráfico, diagramação e montagem de capa: **Crayon Editorial**
Capa original: **Lowen Foundation**

1ª reimpressão, 2024

Summus Editorial
Departamento editorial
Rua Itapicuru, 613 — 7º andar
05006-000 — São Paulo — SP
Fone: (11) 3872-3322
http://www.summus.com.br
e-mail: summus@summus.com.br

Atendimento ao consumidor
Summus Editorial
Fone: (11) 3865-9890

Vendas por atacado
Fone: (11) 3873-8638
e-mail: vendas@summus.com.br

Impresso no Brasil

Dedico este livro à minha esposa, Rowfreta Leslie Lowen, que demonstrou em seu corpo a graça e a graciosidade de uma saúde vibrante. Sua fotografia me segurando é o símbolo da crença dos antigos de que a Mãe Natureza sustenta o Pai Céu.

ALEXANDER LOWEN, outubro de 2003

Sumário

Introdução – O que é bioenergética?

Bioenergética é uma maneira de entender a personalidade do ponto de vista do corpo e de seus processos energéticos. Estes processos – a saber, a produção de energia por meio da respiração e do metabolismo e a sua descarga no movimento – são as funções vitais básicas. A quantidade de energia que uma pessoa tem e como a usa determinam seu modo de reagir às situações da vida. Obviamente, é possível enfrentá-las de forma eficiente se tivermos mais energia passível de ser livremente traduzida em movimento e expressão.

Bioenergética é também uma forma de terapia que combina o trabalho com o corpo e com a mente para ajudar as pessoas a resolver seus problemas emocionais e perceber melhor o seu potencial para o prazer e a alegria de viver. A tese fundamental da bioenergética é que corpo e mente são funcionalmente idênticos – isto é, o que ocorre na mente reflete o que está ocorrendo no corpo, e vice-versa. A relação entre estes três elementos, corpo, mente e processos energéticos, é mais bem expressa pela fórmula dialética mostrada no diagrama a seguir.

FIGURA 1 – **Processos energéticos**

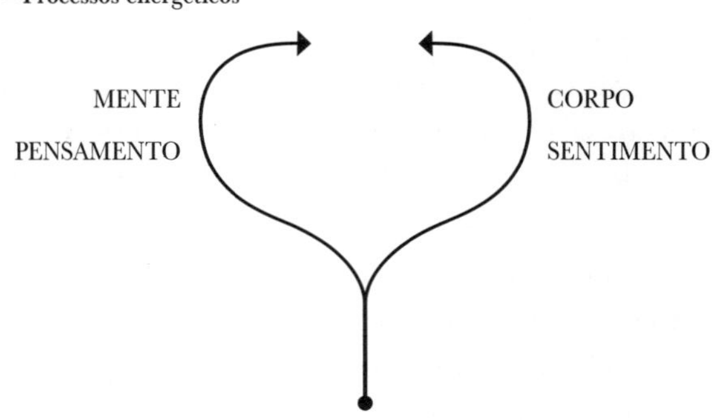

Como todos sabemos, mente e corpo podem influenciar-se mutuamente. O que se pensa influencia o que se sente, e vice-versa. Essa interação, contudo, está limitada aos aspectos conscientes ou superficiais da personalidade. Em nível mais profundo, ou seja, no nível do inconsciente, tanto o pensar quanto o sentir são condicionados por fatores de energia. Por exemplo, é quase impossível para um indivíduo deprimido emergir da doença com pensamentos positivos, pois seu nível de energia está rebaixado. Quando esse nível aumenta por meio da respiração profunda e as sensações e os sentimentos são liberados, é possível sair do estado de depressão[1].

Os processos energéticos do corpo estão relacionados com o estado de vitalidade corporal. Quanto mais ativos somos, mais energia temos – e vice-versa. Rigidez ou tensão crônica diminuem nossa vitalidade e rebaixam nossa energia. Quando nascemos, o organismo está em seu estado de maior vitalidade e fluidez; ao morrermos, a rigidez é total, *rigor mortis*. Não podemos evitar a rigidez que vem com a idade, mas podemos fazê-lo com as tensões musculares crônicas, resultantes de conflitos emocionais não resolvidos.

Toda pressão produz um estado de tensão no corpo. Em geral, a tensão desaparece quando a pressão é aliviada. Contudo, tensões crônicas persistem mesmo depois que a pressão cessou, pois esta assume a forma de uma atitude física inconsciente ou de um enrijecimento muscular. Tais tensões perturbam a saúde emocional reduzindo a energia do indivíduo, restringindo sua motilidade (ação espontânea e natural e movimento da musculatura) e limitando sua autoexpressão. Torna-se necessário, portanto, aliviá-las, a fim de que a pessoa recupere a vitalidade plena e o bem-estar emocional.

O trabalho bioenergético do corpo inclui tanto procedimentos manipulatórios como exercícios especiais. Os primeiros consistem em massagem, pressão controlada e toques suaves para relaxar a musculatura contraída. Os segundos se propõem a ajudar a pessoa a entrar em contato com suas tensões e liberá-las mediante determinados movimentos. É importante saber que todo músculo contraído está bloqueando algum movimento. Estes exercícios foram desenvolvidos ao longo de mais de 20 anos de trabalho terapêutico com pacientes e são feitos em sessões de terapia, em aulas ou em casa. Os que os praticam relatam um efeito positivo sobre sua energia, seu humor e seu trabalho. Os autores os realizam regularmente para promover o próprio bem-estar. Onde quer que tenhamos introduzido estes exercícios – por exemplo, em *workshops* para profissionais –, a resposta tem sido entusiástica e pedem-nos constantemente para fornecer uma lista e uma descrição deles. Este livro é a nossa resposta a essa demanda.

Queremos enfatizar, inicialmente, que estes exercícios não substituem a terapia. Eles não resolverão problemas emocionais profundos, os quais, em geral, requerem ajuda profissional. É comum que pessoas que não estejam em terapia decidam procurá-la para ajudá-las a trabalhar os problemas que atingiram sua consciência durante o curso dos exercícios. Porém, esteja você ou não em terapia, a execução regular destes exercícios o ajudará a aumentar significativamente sua vitalidade e capacidade de alcançar o prazer, assim como a ganhar mais autoconhecimento – com tudo que esse termo implica. Isso acontecerá por meio de: 1) aumento do estado vibratório do seu corpo; 2) *grounding* das pernas e do corpo; 3) aprofundamento da respiração; 4) amplificação da autoconsciência; 5) ampliação da autoexpressão. Eles também podem melhorar a aparência, intensificar a sexualidade e promover a autoconfiança. Contudo, trata-se de exercícios, e não de habilidades, por isso dependem da forma como você os encara. Se você os praticar mecanicamente, terá poucos benefícios; se os fizer compulsivamente, vai minimizar sua ação; se os executar competitivamente, não conseguirá provar nada. Contudo, se os praticar com carinho, cuidado e interesse por seu corpo, os benefícios vão surpreendê-lo.

PARTE I

As bases da bioenergética

1. Vibração e motilidade

Como vimos, a bioenergética é um caminho vibrante para a saúde e um caminho para uma saúde vibrante. "Saúde vibrante" não significa apenas ausência de doença, refere-se à condição de estar totalmente vivo. "Vibrantemente vivo" talvez seja a expressão mais exata, já que a vibração é o elemento-chave da vitalidade. Aumentando o estado vibratório do corpo por meio destes exercícios, é possível atingir esse tipo de saúde.

Um corpo sadio está em constante estado de vibração, quer desperto ou dormindo. Observe uma criança dormindo e verá tremores leves passando pela superfície de seu corpo. Você pode observar pequenos repuxões em diferentes partes do corpo, sobretudo no rosto, nos braços e nas pernas. Às vezes, nós, adultos, também vivenciamos esses tremores ou repuxões. Um corpo vivo está em constante movimento. Essa motilidade inerente ao corpo vivo, que é a base de sua atividade espontânea, resulta de um estado de excitação interna que irrompe continuamente na superfície em movimento. Quando a excitação cresce, há mais movimento; quando diminui, o corpo torna-se mais inerte.

Como o estado vibratório corporal aumenta de maneira coordenada, as ondas pulsatórias se desenvolvem e se espalham pelo corpo. Estamos familiarizados com essas ondas nos batimentos cardíacos, que pulsam através das artérias, e nos movimentos peristálticos do intestino. Mas nem sempre experimentamos as ondas pulsatórias no corpo todo em estado de total relaxamento ou na forma de sensações intensas. No relaxamento completo, as ondas respiratórias atravessam o corpo em cada inspiração ou expiração. Em estados emocionais intensos, ondas sensoriais espalham-se pelo organismo. Ondas pulsatórias semelhantes ocorrem no clímax do ato sexual. Porém, em geral não nos permitimos relaxar totalmente, respirar profundamente ou sentir intensamente.

A vibração se deve a uma carga energética na musculatura, sendo análoga à que ocorre num fio elétrico quando uma corrente passa por ele. A falta de vibração indica que a corrente de excitação ou carga está ausente ou muito reduzida. Usemos uma analogia: assim que damos partida no carro, ele entra em forte vibração, que vai diminuindo até chegar a um ritmo normal. Esse nível de vibração continuará enquanto ele estiver em movimento. Se o motor parar enquanto o carro estiver em movimento, sentiremos logo que ele deixou de funcionar pela ausência da vibração.

A qualidade de vibração de um carro ou de um corpo humano nos diz em que condições eles estão. Quando um carro balança ou as vibrações são violentas, sentimos que algo está errado. No corpo, vibrações abruptas indicam que a excitação ou carga não está fluindo livremente. Assim como as corredeiras de um rio denotam que pedras ou outros obstáculos impedem o que, em outras circunstâncias, seria um curso suave, também vibrações abruptas indicam que a corrente de excitação está fluindo através de músculos espásticos ou cronicamente tensos. Quando as tensões são aliviadas ou o músculo relaxa, as vibrações tornam-se mais sutis, dificilmente perceptíveis na superfície, e são então experienciadas como um delicioso ronronar. Porém, é preferível tremer a não vibrar de jeito nenhum. Também existem condições em que o corpo treme devido a uma carga extrema. Por exemplo, trememos de raiva ou medo, nos agitamos em soluços, pulsamos com amor; mas, seja qual for a emoção, estamos plenamente vivos nesses momentos.

No decurso do trabalho bioenergético, o corpo da pessoa é levado a um estado de vibração por meio dos exercícios descritos neste livro. O objetivo é manter as vibrações num nível estável e sutil quando a excitação aumenta ou a tensão cresce. De fato, aumenta-se a tolerância do corpo para a excitação e o prazer. Para se chegar a isso, o ego deve estar seguramente ancorado no corpo, identificado com ele e sem medo de acompanhar suas reações involuntárias. O resultado são movimentos e comportamentos espontâneos, coordenados e efetivos: a qualidade da graça natural.

Durante esse processo, existe uma mudança correspondente no pensamento e nas atitudes do indivíduo. Quando as vibrações atravessam o corpo em sua plenitude, a pessoa se sente conectada e integrada como um todo. Muitos pacientes referem a mesma reação. A sensação de unidade e integridade leva a uma sinceridade natural de pensamento e ação. Ao desenvolver a graça corporal, desenvolve-se a correspondente atitude psicológica de ser gracioso. Tais pessoas não são apenas vibrantemente vivas: estão radiantemente vivas.

Análise bioenergética é o nome da terapia bioenergética. Nela, a pessoa é levada a entrar em contato consigo mesma por meio de seu corpo. Usando os exercícios descritos neste livro, ela começa a sentir como inibe ou bloqueia seu fluxo de excitação, como limita sua respiração, restringe seus movimentos e reduz sua autoexpressão. Em outras palavras, como prejudica sua vitalidade. A parte analítica da terapia ajuda-a a entender o porquê dessas inibições e bloqueios, em geral inconscientes e ligados a experiências infantis. Ela é ajudada e incentivada a aceitar e expressar os sentimentos suprimidos no contexto protegido da situação terapêutica.

O objetivo da terapia é um corpo vivo, capaz de experienciar por completo prazeres e dores, alegrias e tristezas. Quanto mais vitais somos, mais toleramos a excitação na nossa vida cotidiana e no sexo. A análise dos conflitos reprimidos, a liberação de sentimentos suprimidos e a dissolução das tensões e bloqueios musculares crônicos têm o propósito de aumentar a capacidade da pessoa para o prazer.

O prazer de estar totalmente vivo fundamenta-se no estado vibratório do corpo, sendo percebido na expansão e contração pulsáteis do organismo e em seus sistemas orgânicos componentes – respiratório, circulatório e digestório, por exemplo. É sentido como sensações que fluem pelo corpo refletindo o fluxo da excitação. É a doce sensação de derretimento no desejo sexual, o lampejo da intuição, a vontade de proximidade e contato, a pulsação do excitamento.

A atividade vibratória é, como vimos, uma manifestação da motilidade inerente ao organismo, a qual também é responsável pelas ações espontâneas, pela liberação emocional e pelo funcionamento interno. Essa motilidade não é controlada pelo ego nem pela vontade; é involuntária. Um corpo vivo vibra e pulsa. Naturalmente, ao envelhecermos, nosso corpo torna-se mais e mais estático até atingir a absoluta imobilidade da morte. Porém, a perda prematura da motilidade é patológica. Isso acontece, por exemplo, quando nos deprimimos. A depressão é a diminuição patológica do funcionamento vital do corpo, da motilidade, dos sentimentos, das sensações e da capacidade de reagir.

Além desses movimentos involuntários, também fazemos muitos movimentos voluntários, conscientes ou semiconscientes, tais como andar, falar, comer etc. Num adulto saudável, os dois tipos de movimento estão estritamente coordenados para produzir um comportamento ao mesmo tempo harmônico e verdadeiro. É assim que todos nós gostaríamos de ser. Mas a graça natural não pode ser aprendida. Os cursos de modelo nos ensinam a ser manequins, não pessoas graciosas e vitais. A pose pode parecer atraente numa foto, mas dá a impressão de rigidez na vida real, pois é conseguida à custa da motilidade do corpo. Só se pode atingir a graça aumentando essa motilidade e, depois, fundindo-a com a autopercepção para obter um elevado grau de autoconhecimento. A marca da vivacidade e da graça de um ser humano é seu autoconhecimento.

Um dos exercícios mais fundamentais na bioenergética é também o mais simples. Nós o usamos para iniciar as vibrações nas pernas e ajudar a pessoa a senti-las. É também nosso exercício básico de *grounding*[2]. Fazê-lo sem aquecimento preliminar pode resultar ou não em vibrações. Os jovens costumam reagir rápido a ele. Os mais velhos, cujo corpo está menos carregado e mais rígido, podem não vivenciar tais vibrações. Porém, estas surgem depois que eles praticam outros exercícios que reduzem sua rigidez, aprofundam sua respiração e aumentam sua carga energética (quantidade de energia, excitação ou corrente no corpo).

Exercício 1 – Postura básica de vibração e *grounding*

Fique em pé com os pés separados cerca de 25 cm e os artelhos ligeiramente voltados para dentro, a fim de alongar alguns músculos das nádegas. Incline-se para a frente tocando o chão com os dedos das mãos, como na Figura 2. Os joelhos têm de estar ligeiramente dobrados. Não deve haver peso nenhum nas mãos – todo o peso do corpo deve recair sobre os pés. Deixe a cabeça pendurada o máximo possível.

Respire vagarosa e profundamente pela boca. Mantenha a respiração (não respire pelo nariz por enquanto).

Deixe o peso do seu corpo ir para a frente, de modo que ele recaia sobre a planta dos pés. Os calcanhares podem ficar um pouco erguidos.

Estenda os joelhos devagar até que os músculos posteriores das pernas estejam esticados. Isso não significa, entretanto, que os joelhos devam ficar totalmente rígidos ou travados.

Permaneça nessa posição por cerca de um minuto.

» Você está respirando com facilidade ou está prendendo a respiração? A vibração não ocorrerá se parar de respirar.

» Você percebe alguma atividade vibratória nas pernas? Se não, tente lentamente flexionar um pouco os joelhos e então os endireite até a posição inicial. Faça isso algumas vezes para relaxar os músculos.
» As vibrações são intensas ou sutis, suaves ou espasmódicas? Em alguns casos, as pessoas literalmente pulam do chão se não conseguem controlar a excitação. Isso aconteceu com você?

FIGURA 2 – Vibrando inclinado para a frente

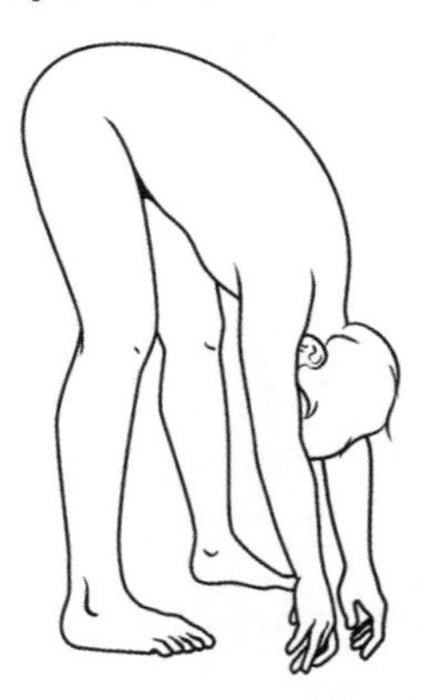

Pedimos que volte a este exercício depois de ler o próximo capítulo.

2. *Grounding*

Você deve ter notado, se fez o exercício do capítulo anterior, que as vibrações nas pernas ocorrem quando você sente os pés pressionarem o chão. A sensação de contato entre os pés e o chão é conhecida em bioenergética como *grounding* e denota um fluxo de excitação que corre através das pernas para os pés e o chão. A pessoa está conectada com o solo, e não "suspensa no ar". Existem, logicamente, diferentes níveis na sensação de contato com o chão, dependendo da intensidade com que o pé "toca" o chão. Isso varia bastante entre os indivíduos.

Estar *grounded* é outra maneira de dizer que o indivíduo está com os pés no chão. O termo também pode significar que ele sabe onde está e, portanto, sabe quem é. Ao adquirir o *grounding*, ele assume uma posição, ou seja, é "alguém". Num sentido mais amplo, o *grounding* representa o contato do ser com as realidades básicas de sua existência. Ele está firmemente plantado na terra, identificado com seu corpo, ciente de sua sexualidade e orientado para o prazer. Essas características faltam àquele que está "suspenso no ar" ou na cabeça, em vez de em cima dos próprios pés.

O *grounding* implica conseguir que a pessoa "deixe acontecer", fazendo seu centro de gravidade recair mais embaixo; implica fazê-la sentir-se mais perto da terra. O resultado imediato é o aumento de seu senso de segurança. Ela sente o chão sob si e seus pés sobre ele. Quando alguém está altamente carregado ou excitado, sua tendência é ir para cima, voar, levantar voo. Nessas condições, apesar da sensação de excitação, ou de elação, há sempre um elemento de ansiedade e perigo – a saber, o perigo de cair. O mesmo ocorre quando estamos longe do chão, como quando fazemos uma viagem de avião. O problema se resolve quando voltamos a salvo para o solo, física ou emocionalmente.

A direção descendente é o caminho para o prazer da liberação – ou descarga – e para a satisfação sexual. As pessoas que têm medo de deixar-se levar perdem a capacidade de se entregar por completo à descarga sexual e não conseguem experimentar a satisfação orgástica total. Deixar-se levar significa deixar acontecer, pois estamos inconscientemente nos mantendo suspensos todo o tempo. Temos medo de cair, de falhar e, portanto, de nos entregar aos nossos sentimentos.

Mabel Elsworth Todd, em sua obra *The thinking body* [O corpo pensante], publicada primeiramente em 1937, fez a seguinte observação:

> O homem foi absorvido pelas porções superiores de seu corpo ao perseguir objetivos intelectuais e o desenvolvimento de habilidades manuais e verbais. Isso, além de lhe dar falsas noções relativas à aparência e à saúde, transferiu o senso de poder da base para o topo de sua estrutura. Ao usar assim a parte superior do corpo para reagir com força, ele inverteu seu uso animal e perdeu em grande medida tanto a refinada acuidade sensorial animal quanto seu controle de força, centralizado nos músculos espinais e pélvicos inferiores.[3]

Em sentido amplo, o *grounding* pretende ajudar o indivíduo a se tornar mais identificado com sua natureza animal, que evidentemente inclui a sexualidade. A porção inferior do corpo é de natureza muito mais animal em suas funções (locomoção, defecação e sexualidade) do que a superior (pensamento, fala e manipulação do ambiente). Aquelas são mais instintivas e menos submetidas ao controle consciente. Entretanto, é em nossa natureza animal que residem as qualidades de ritmo e graça. Qualquer movimento que flui livremente da parte inferior do corpo tem tais características. Quando nos puxamos para cima e para longe da metade inferior, perdemos muito de nosso ritmo e graça naturais.

Esse deslocamento ascendente pode ser invertido por meio dos exercícios de *grounding* propostos na bioenergética. À medida que o centro da gravidade do corpo desce para a pelve e os pés servem de apoio energético, sentimo-nos centrados na parte inferior do abdome – qualidade valorizada pela maioria dos orientais. Os japoneses, por exemplo, usam a palavra *hara* tanto para "abdome" quanto para designar uma pessoa centrada. O ponto exato do *hara*, de acordo com Durckheim, é 5,5 cm abaixo do umbigo. Ao centrar-se nesse ponto, o indivíduo fica equilibrado física e psicologicamente. Uma pessoa equilibrada é calma e tranquila; todos os seus movimentos são feitos sem esforço e sabiamente. Durckheim escreveu:

> Quando nosso *hara* está totalmente desenvolvido, temos a força e a precisão para desempenhar ações que de outra forma nunca atingiríamos nem mesmo com a mais perfeita técnica, a atenção mais centrada ou a maior força de vontade. Somente o que é feito com *hara* tem êxito total.[4]

As disciplinas zen do arco e flecha e dos arranjos florais, bem como a cerimônia do chá, são destinadas a ajudar a pessoa a atingir o *hara*.

A maioria dos ocidentais é centrada na parte superior do corpo, sobretudo na cabeça. Reconhecemos a cabeça como o foco do ego, o centro da consciência e do comportamento voluntário. Em contraste, o centro inferior ou pélvico em que o *hara* reside é o âmago da vida inconsciente ou instintiva. Digamos que é o centro animal do homem, como o sugere Todd. Quando percebemos que não mais de 10% de nossos movimentos são conscientemente dirigidos e que 90% deles são inconscientes, a importância desse centro torna-se evidente.

Uma analogia deixará isso claro. Pense num cavalo e em seu cavaleiro. O cavaleiro, com seu controle consciente de direção e velocidade, funciona como o ego; o cavalo provê o centro inferior, a força e a base segura para levar o cavaleiro aonde ele queira ir. Se o cavaleiro ficar inconsciente, o cavalo, na maioria dos casos, o levará para casa a salvo. Porém, se o cavalo falhar, o cavaleiro estará em apuros. O melhor que ele poderia fazer seria andar até seu destino.

O ventre é literalmente o assento da vida. O corpo se assenta na bacia pélvica. Por meio da pelve, o indivíduo tem contato com os órgãos sexuais e as pernas. É também na barriga que ele é concebido, e dela emerge para a luz do dia. A perda de contato com esse centro vital o desequilibra e produz ansiedade e insegurança.

Existem duas regras que, se observadas, o ajudarão a tornar-se e permanecer *grounded*. A primeira é manter os joelhos discretamente flexionados todo o tempo. Travar os joelhos, quando se está em pé, torna toda a parte inferior do corpo, dos quadris para baixo, uma estrutura rígida que funciona apenas como suporte ou meio mecânico de locomoção, impedindo o indivíduo de fluir para a parte inferior do corpo e identificar-se com ela.

Os joelhos são os responsáveis por absorver os choques do corpo. Quando sofremos determinada pressão, os joelhos se flexionam, permitindo que a força seja transmitida para o chão através do corpo.

Se os joelhos estão travados, a força fica concentrada na região lombar, produzindo uma pressão que resultará num problema de coluna. Sempre somos alertados a manter os joelhos fletidos ao levantarmos peso, mas deixamos de perceber que as pressões psicológicas são equivalentes ao peso físico para o corpo. Se tentarmos suportar tais pressões com os joelhos travados, sobrecarregaremos a região lombar.[5]

Exercício 2 – Flexão dos joelhos

Fique em pé com os pés separados cerca de 20 cm, na sua posição habitual. Observe se seus joelhos estão travados ou fletidos, se os pés estão paralelos ou virados para fora e se seu peso está sobre a planta dos pés ou nos calcanhares.

Em seguida, flexione ligeiramente os joelhos. Deixe os pés absolutamente paralelos. Leve o peso para a frente sem erguer os calcanhares, de modo que ele caia na planta dos pés.

Devagar, flexione e estenda os joelhos seis vezes e depois fique nessa posição cerca de 30 segundos, respirando normalmente.

» Você sente essa posição como antinatural? Se sim, é porque não tem ficado em pé do modo certo.
» Suas pernas tremeram? Sentiu-se inseguro sobre elas? Sentiu melhor seus pés sobre o chão?
» Você está consciente da flexibilidade que os joelhos proporcionam quando não estão travados ou rigidamente tensionados?

A segunda regra é deixar o abdome solto. Muitos acham esse movimento difícil, pois ele, em princípio, viola a imagem que se tem do que é uma postura correta ou elegante. Sofremos uma lavagem cerebral com o axioma da boa postura: "barriga para dentro, peito para fora, ombros para cima". Talvez essa postura seja boa para um soldado que tem de agir como um autômato, mas é o exemplo máximo da rigidez, negando-nos autonomia, espontaneidade e sexualidade. A "barriga para dentro" dificulta sobremaneira a respiração abdominal e força o indivíduo a inflar excessivamente o peito para obter ar. O ato de inflar continuamente o peito é um dos fatores responsáveis pelo enfisema. No próximo capítulo, descreveremos de modo aprofundado os padrões de respiração mais saudáveis ou corretos. Como veremos, eles dependem de uma musculatura abdominal relaxada.

Para manter o abdome contraído e os ombros erguidos, empregamos muita energia para lutar contra nossa natureza animal básica. E isso não levará a nada, apesar de todo o cansaço. Se alguém lhe ordenar que ande com a mão direita para cima, como a Estátua da Liberdade, para simbolizar a autodeterminação, você considerará tal pose um esforço desnecessário. Isso é igualmente válido para qualquer postura forçada. É exaustivo adotar qualquer atitude corporal que requeira esforço, trabalho desnecessário e desgastante apenas para criar uma imagem.

Deixar o abdome solto parece ofender sobretudo as mulheres. Consideram-no desleixo, sentem-se pouco atraentes. Sua imagem de beleza feminina é a da coelhinha da *Playboy*, com o abdome rigidamente contraído para dentro e os seios projetados à frente. Supõe-se que isso seja sexualmente excitante para os homens. Talvez o seja para aqueles que têm medo de – ou são repelidos por – uma mulher com barriga na qual veem a figura da mãe. Entretanto, a barriga indica uma mulher madura, e a sua ausência, uma adolescente. O apelo sexual de uma adolescente deveria atrair um adolescente (seja qual for sua idade), não um homem.

O fato é que o abdome "chapado" elimina todas as sensações sexuais pélvicas, aquelas deliciosas sensações de derretimento e entrega que transformam o sexo de mero desempenho e descarga em expressão de amor. O que na realidade muitas mulheres sentem ao deixar o abdome solto é que isso é sexual demais. Soltar, "desleixar", significa perder – e perder implica "mulher perdida". Na época vitoriana, as mulheres usavam espartilho para conter sua sexualidade; elas literalmente não podiam ser vistas como "soltas". Apesar de termos rejeitado o espartilho físico, adotamos o psicológico, que é até mais eficaz, pois não pode ser retirado quando assim o desejamos.

Muitos homens também não querem deixar o abdome solto, pois temem que ele se torne um grande "barril", confessadamente não atraente. Porém, quando se olha para uma pessoa com barriga saliente, percebe-se que esta também não está solta; está fortemente contraída, e os músculos da parede abdominal, retesados e espásticos. Há um anel constritor na altura do umbigo ou da crista ilíaca. O ventre salienta-se acima desse anel, que funciona como uma represa, impedindo o fluxo descendente de sensações e excitação. A energia na forma de gordura se empilha sobre a represa, produzindo a pança tão comum nos homens de meia-idade. Com o tempo, a tensa musculatura abdominal tende a ceder, aumentando a saliência.

As figuras a seguir ilustram como o ventre cria essa saliência. A Figura 3 mostra a postura do abdome naturalmente solto de um adulto. Na Figura 4, a saliência se desenvolve em consequência do bloqueio do fluxo descendente de excitação pela tensão na parede abdominal inferior. Na Figura 5, a saliência se transforma em pança quando os músculos abdominais superiores se enfraquecem e perdem a elasticidade ante a pressão da protuberância.

Se a represa for aberta, isto é, se o anel de tensão for solto, a saliência lentamente desaparecerá. Vi isso acontecer em muitos homens que se conscientizaram de seu tensionamento e constrição.

O que surpreende é a maioria das pessoas não conseguir soltar o abdome. A retenção tornou-se parte de seu modo de ser e não se consegue superá-la facilmente. Quando tentam soltar o abdome inferior, percebem que houve uma liberação apenas discreta. Então, logo que sua atenção se dirige para outra coisa, "sugam-no" para dentro de novo. O mesmo acontece com os joelhos travados. Pode-se mantê-los levemente dobrados quando se está consciente deles, mas eles voltam a travar logo que os esquecemos. É preciso muita prática para eliminar esses maus hábitos.

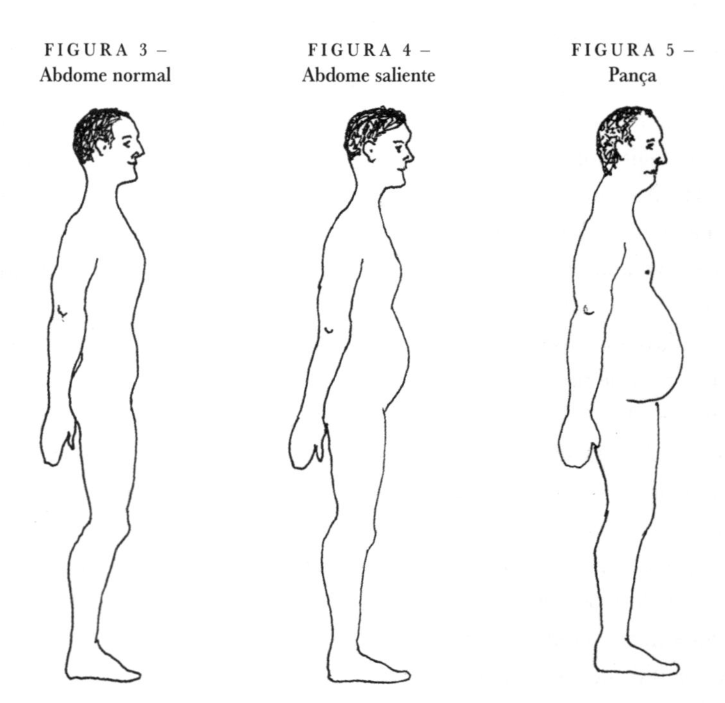

FIGURA 3 – Abdome normal

FIGURA 4 – Abdome saliente

FIGURA 5 – Pança

Exercício 3 – Soltar o abdome

Em pé, com os pés separados 20 cm e retos, flexione um pouco os joelhos. Sem levantar os calcanhares do chão, deslize para a frente de modo que o peso do seu corpo fique na planta dos pés. Permaneça com o corpo reto, mas não retesado (veja a Figura 3). Agora deixe o abdome inferior o mais solto possível. Respire normalmente por um minuto.

O propósito deste exercício é sentir as tensões na parte inferior do corpo.

» Você consegue soltar o abdome?
» Ele fica solto ou volta para dentro de novo?
» Essa postura faz você se sentir "desleixado" ou "solto"?
» Você sente as pernas trêmulas? Teme que elas não o mantenham em pé?
» Seus movimentos respiratórios se estendem até o abdome inferior? Você está respirando ali?

Exercício 4 – Arco

Este exercício é parecido com o anterior, porém exerce certa pressão no corpo para ampliar a respiração e aplicar mais força nas pernas. Se for feito corretamente, ajuda a liberar a tensão abdominal que torna o abdome saliente. Um exercício similar é feito pelos praticantes de tai chi.[6]

Fique em pé com os pés separados 40 cm e os artelhos voltados ligeiramente para dentro.

FIGURA 6 – Arco

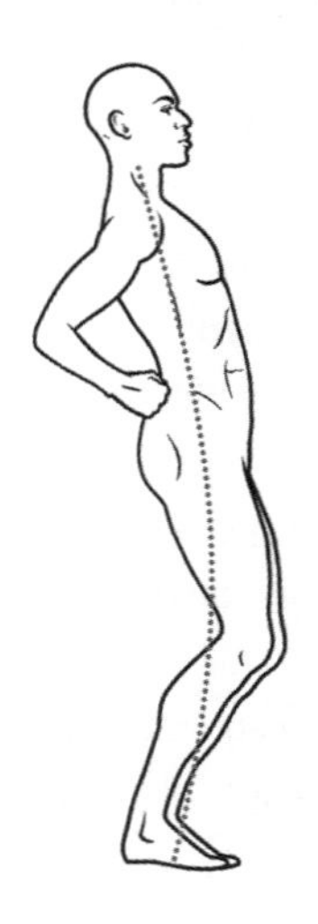

Agora, coloque os punhos fechados com os polegares voltados para cima na linha da cintura.

Flexione os joelhos quanto puder sem levantar os calcanhares do chão.

Arqueie o corpo para trás e dobre os punhos, mas atente-se para que o peso continue sobre a planta dos pés. Faça a respiração abdominal profunda.

» Você sente algum esforço na região lombar? Se sim, isso indica uma considerável tensão nessa parte do corpo.
» Sente algum tipo de dor ou tensão na parte anterior das coxas ou acima dos joelhos? Se suas pernas estão relaxadas, você não deverá sentir esforço nenhum, exceto nos tornozelos e pés, que suportam o peso do corpo.
» Suas pernas estão começando a vibrar?
» Você é capaz de manter um arco perfeito? Seus quadris estão empinados para trás ou empurrados para a frente? Em ambos os casos, o arco estará interrompido e sua energia e suas sensações não fluirão completamente até seus pés.

Repita o exercício 1 – Postura básica de vibração e *grounding*

Todos os exercícios em que a pessoa arqueia o corpo para trás, tanto na posição de arco como sobre o banco de bioenergética (veja o Capítulo 10), são seguidos por outro em que ela se inclina para a frente. Isso não somente alivia a pressão e aumenta a flexibilidade do corpo como promove a descarga da excitação produzida no exercício anterior. As vibrações nas pernas são tais descargas.

Repita o exercício da Figura 2. Incline-se para a frente e deixe a ponta dos dedos tocar o chão sem colocar nenhum peso neles. Comece com os joelhos flexionados e depois, *lentamente*, vá estendendo as pernas até passar a sentir as vibrações. Não force os joelhos para trás, pois isso imobiliza suas pernas.

Respire normal e profundamente.

Fique nessa posição por cerca de um minuto.

» Você sente as vibrações nas pernas?
» Elas estão mais fortes do que quando fez o exercício anterior?

Levante o corpo até a posição ereta, com os joelhos levemente flexionados. Relaxe como no primeiro exercício desta série, deixando o abdome solto e respirando normalmente.

» Suas pernas ainda estão vibrando?
» Como você sente os pés em relação ao chão? Sente-se mais conectado ao solo ou com mais *grounding*, como costumamos dizer?
» Você está mais consciente de seus pés e pernas? Sente-os mais presentes?

O *grounding* é a chave do trabalho bioenergético. Se você estiver bem *grounded*, seu corpo estará naturalmente equilibrado, ereto e firme. Sua energia fluirá livremente. Você inclusive notará que seus olhos estão vendo com mais clareza e sua visão melhorou.

O *grounding* está intimamente relacionado com a respiração, como pode ser observado durante os exercícios. Quanto mais você se entrega a ele, mais profunda é sua respiração. É importante, entretanto, estar consciente do seu padrão respiratório e aprender a "se segurar" para não expirar livre e completamente, como veremos no próximo capítulo.

3. Respiração

A boa respiração é essencial para uma saúde vibrante. Por meio dela, obtemos o oxigênio para manter aceso o fogo do nosso metabolismo, assegurando a energia de que precisamos. Quanto mais oxigênio, mais quente o fogo e maior a energia produzida.

A maioria de nós está ciente da importância da respiração, e a bioenergética não se concentra muito em exercícios respiratórios. Se lhe pedimos para estar consciente de sua respiração, é apenas para ajudá-lo a respirar com mais facilidade, profunda e *naturalmente*, sem estar consciente disso. O nosso foco se dirige a ajudá-lo a perceber e liberar as tensões que o impedem de respirar dessa forma. A respiração não é algo de que deveríamos estar conscientes. Um animal ou uma criança pequena respiram corretamente e não precisam de instruções nem ajuda para fazê-lo. Os adultos, no entanto, tendem a apresentar padrões desorganizados de respiração, devido a tensões musculares crônicas que a distorcem e limitam. Essas tensões são consequência de conflitos emocionais que surgiram durante seu desenvolvimento.

Os exercícios de respiração ajudam um pouco, mas por si sós não reduzem a tensão nem restauram o padrão respiratório natural. É preciso entender esses padrões e saber por que eles se desorganizam; é preciso aprender a liberar as tensões que os desviaram do seu curso natural.

O padrão de respiração relaxada (quando a pessoa não se encontra em estado de grande esforço ou forte emoção) é para baixo e para cima na inspiração (inalação de ar). O diafragma se contrai e desce, permitindo a expansão dos pulmões quando eles inflam. Essa é a direção de menor resistência para a expansão dos pulmões. O abdome se alarga por meio de um movimento para fora de suas paredes, a fim de dar espaço ao movimento descendente dos pulmões. A contração do diafragma também levanta as costelas inferiores, cujo movimento é acompanhado pela contração dos músculos intercostais (aqueles que ligam uma costela a outra). O peito também se expande para fora nesse processo, mas a respiração relaxada é predominantemente abdominal, não tanto torácica. Nessa respiração, inspira-se o máximo de ar possível para fazer um mínimo de esforço.

A respiração saudável é uma ação do corpo todo; todos os músculos estão envolvidos de alguma forma. Isso é especialmente verdadeiro para os músculos pélvicos profundos, que giram suavemente a pelve para trás e para baixo durante a inspiração, a fim de alargar o ventre, e então giram-na para a frente e para cima, a fim de diminuir a cavidade abdominal durante a expiração. Esse movimento da pelve para a frente é auxiliado pela contração dos músculos abdominais. A expiração, contudo, é um processo basicamente passivo, mais bem exemplificado por um suspiro.

Esses movimentos pélvicos são ilustrados na Figura 7 (veja a p. 35), que acompanha um exercício de respiração no qual você deverá girar a pelve para perceber o efeito desse movimento no processo.

Devemos pensar em movimentos respiratórios como ondas. A onda inspiratória começa fundo na pelve e flui para cima, até a boca. À medida que sobe, as cavidades largas do corpo – abdome, tórax, garganta e boca – se expandem para sugar o ar. A garganta é especialmente importante: a menos que a expanda na inspiração, o indivíduo não consegue respirar fundo. Para a maioria de nós, contudo, ela está gravemente contraída ou comprimida para abafar sensações e sentimentos, sobretudo a vontade de chorar e gritar. É comum no trabalho bioenergético que, depois que o paciente chora bastante, sua respiração se torne mais profunda e fácil. Permitir-se soluçar libera a tensão na garganta e também abre o ventre.

A onda expiratória começa na boca e flui para baixo. Quando alcança a pelve, essa estrutura move-se suavemente para a frente, como vimos. A expiração induz ao relaxamento de todo o corpo. Libera-se o ar retido nos pulmões e, nesse processo, toda e qualquer retenção. As pessoas que têm medo de se soltar apresentam dificuldade de expirar por completo. Mesmo depois de uma expiração forçada, o peito delas permanece um pouco inflado.

O peito inflado é uma defesa contra o sentimento de pânico, o qual está ligado ao medo de não ser capaz de obter ar suficiente. Quando alguém nessas condições deixa o ar sair totalmente, experiencia um pânico momentâneo, ao qual reage inalando mais ar e inflando novamente o peito. O peito inflado retém uma larga reserva de ar, como medida de segurança. A pessoa tem medo de sair dessa segurança ilusória. Por outro lado, aqueles que temem ir ativamente ao encontro do mundo têm dificuldade de inspirar. Eles por vezes se sentem aterrorizados ao abrir a garganta para uma inspiração profunda. Para a execução destes exercícios, uma boa regra é não forçar a respiração. Veja o que você consegue realizar sem se forçar.

Existe outro padrão respiratório que entra em jogo quando a necessidade de oxigênio é urgente – por exemplo, numa atividade muito vigorosa. Nesse caso, os músculos do tórax são mobilizados e todo o peito torna-se ativamente envolvido nos movimentos respiratórios. Esse padrão é sobreposto ao primeiro, de forma que a pessoa respire com o abdome e o tórax; desse modo, sua respiração é mais profunda e plena. Em ambos os padrões, toda a parede do corpo parece mover-se como se fosse uma única peça, embora possamos ver as ondas respiratórias fluindo para cima e para baixo.

Esses padrões sofrem distúrbios quando uma parte do corpo se move em oposição a outra. Em algumas pessoas, quando o peito se expande na inspiração, o abdome se contrai. Isso produz um grave distúrbio: apesar do considerável esforço envolvido na expansão do tórax rígido, obtém-se pouco ar, já que o movimento descendente dos pulmões está bloqueado. Em vez de respirar para dentro e para fora, a pessoa o faz para cima e para baixo, com pouca expansão das cavidades corporais. Em geral, os movimentos respiratórios ficam limitados à área do diafragma, com pouco envolvimento do abdome ou do tórax. Essa é a típica respiração superficial. Às vezes acontecem certos movimentos abdominais, mas o peito mantém-se rigidamente contido.

No capítulo anterior, atribuímos o ventre contraído a uma inibição sexual. Porém, o abdome também é contraído e contido para suprimir sentimentos de tristeza. Nós o encolhemos para controlar lágrimas e soluços. Se o soltarmos, ficaremos sujeitos a ter uma verdadeira crise de choro. Mas também nos abriremos à possibilidade de ter uma verdadeira crise de riso. Seja chorando ou rindo, é no abdome que experienciamos a vida em nível visceral. É aqui que ela é concebida e desenvolvida; que nossos mais profundos desejos têm origem. Se você deseja suprimir seus sentimentos, mantenha o abdome tenso. Contudo, você terá de aceitar que não é uma pessoa vibrante. E, se reclama de um vazio interior, deveria perceber que está bloqueando sua plenitude de ser.

Lágrimas são como a chuva que cai do céu, e um bom choro é como uma tempestade que limpa o ar. Chorar é o modo básico de liberar tensão, como observamos no bebê que cai no choro quando suas frustrações criam uma tensão insuportável. Ninguém precisa se envergonhar de chorar, pois no fundo somos todos bebês. Considerando a dor que muitos de nós experimentam na vida e todas as frustrações às quais estamos continuamente sujeitos, todos temos boas razões para chorar. Chorar é tão terapêutico que, se uma pessoa deprimida consegue fazê-lo, sua depressão se alivia de imediato.

A respiração também está vinculada à voz. Para produzir sons, precisamos deslocar o ar através da laringe. E durante a emissão dos sons temos certeza da respiração. Infelizmente, muitas pessoas são inibidas demais para emitir sons altos. Algumas são vítimas do provérbio segundo o qual as crianças devem ser vistas, mas não ouvidas. Outras sufocaram o choro e os gritos porque tais expressões encontraram uma reação hostil dos pais. O ato de sufocar esses sons produz uma grave constrição na garganta, que limita seriamente a respiração. Por essas razões, as pessoas em terapia bioenergética ou em outras atividades são encorajadas a vocalizar ou emitir um som prolongado enquanto fazem os exercícios ou respiram. Um som claro ressoando no corpo causa uma vibração interna similar às que induzimos na musculatura.

Existem dois outros mandamentos no trabalho bioenergético. Um deles é não prender a respiração. Deixe-se respirar. Não queremos que você force a respiração, mas que perceba quando não está respirando. Sempre que se tornar consciente de que está prendendo a respiração, dê um suspiro. O outro mandamento é emitir sons. Permita-se ser ouvido. Ao dar um suspiro, torne-o audível. Muitos indivíduos desenvolvem problemas porque, quando crianças, eram severamente advertidos a ficar quietos. A negação do direito de usar a própria voz pode tê-los levado a sentir que não têm voz ativa.

Agora pedimos que você faça alguns exercícios simples para entender qual é seu padrão de respiração. Ao praticá-los, permita-se gemer ou resmungar quando sentir que estão sendo pesados ou dolorosos. Você descobrirá que emitir sons diminui tanto a pressão quanto a dor.

Exercício 5 – Respiração abdominal

Deite-se no chão sobre um tapete. Flexione os joelhos. Seus pés devem ficar bem apoiados no chão, separados cerca de 30 cm um do outro, e os artelhos ligeiramente voltados para fora. Alongue a cabeça para trás tanto quanto possível, confortavelmente, para abrir a garganta. Coloque as mãos no abdome, acima dos osso púbico, para sentir os movimentos abdominais. Respire pelo abdome normalmente, com a boca aberta, por cerca de um minuto.

» Você sentiu o abdome subindo a cada inspiração e descendo a cada expiração?
» Seu peito se moveu em harmonia com seu abdome ou estava rígido? Tente deixá-lo seguir o movimento abdominal.
» Você sentiu alguma tensão na garganta?

FIGURA 7 – **Respiração abdominal**

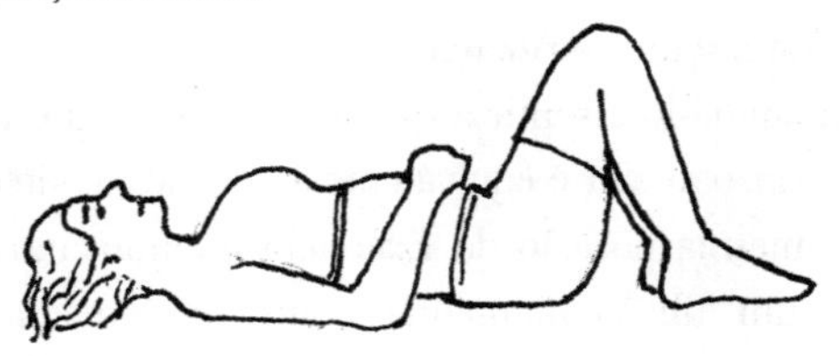

Exercício 5A – Variação: balanço da pelve

Agora, balance a pelve suavemente para trás, em cada inspiração, e traga-a para a frente na expiração, como mostram as Figuras 8 e 9. Faça isso durante um minuto.

» Você sentiu que os movimentos pélvicos aumentam a profundidade da respiração e a amplitude dos movimentos abdominais?

Essa respiração pode produzir sensações de formigamento nas mãos ou em outras partes de corpo, conhecidas como parestesias. Talvez você também sinta câimbras nas mãos. Ambos os sintomas são sinais de hiperventilação. Se se tornarem fortes, basta parar o exercício e eles desaparecerão. Não são perigosos, mas talvez suas mãos desenvolvam um espasmo doloroso.

Hiperventilação é super-respiração. Você inspirou e expirou mais ar do que de costume em situação de descanso. Bioenergeticamente, diríamos que seu corpo está sobrecarregado. Depois de fazer estes exercícios por algum tempo, você notará que a mesma quantidade de respiração não provocará nenhum outro sintoma. Quando seu corpo estiver habituado a um nível mais profundo de respiração, você não se sentirá mais sobrecarregado. As parestesias também desaparecerão se alguma emoção irromper: se começar a chorar, o formigamento sumirá de imediato, pois você terá descarregado a excitação.

FIGURA 8 – Respiração abdominal – inspiração (abdome para fora, pelve para trás)

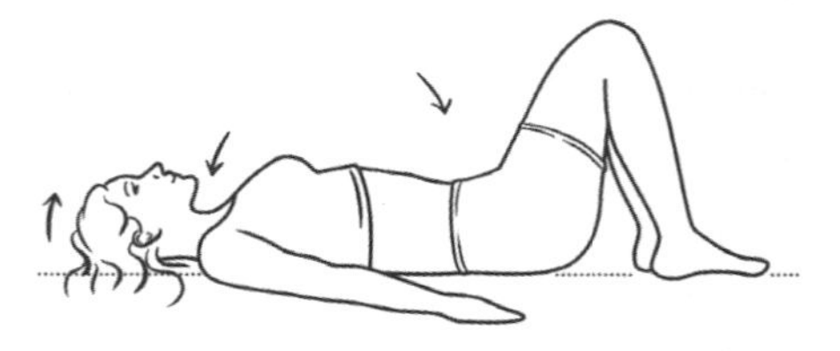

Exercício 5B – Variação: expiração

Essa variação vai ajudá-lo a sentir a quantidade de ar que você permite sair dos pulmões. Deixar o ar sair é equivalente a "deixar acontecer".

Deite-se na mesma posição do Exercício 5, emita um som moderadamente alto, como um "ah!", e mantenha-o tanto quanto aguentar, sem forçar. Quando parar, respire normalmente e comece de novo. Faça este exercício quatro ou cinco vezes e observe se a cada nova repetição é possível manter o som por mais tempo.

FIGURA 9 – Respiração abdominal – expiração (pelve para a frente, abdome para dentro)

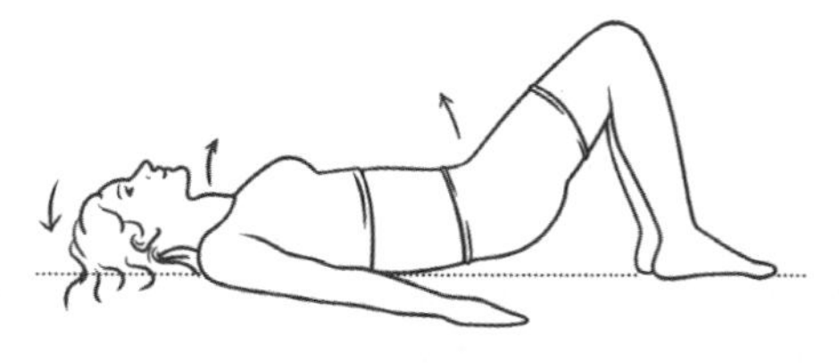

Atente-se para não forçar os sons ou a respiração, pois isso apenas contrai mais sua garganta e produz tensão.

Sua voz pode tremer ao final do som. Você talvez comece a soluçar. Tudo bem. Se o choro surgir, deixe-o fluir espontaneamente. Chorar ajudará sua respiração mais do que qualquer outro exercício.

Exercício 6 – Respiração e vibração

Este exercício também vai ajudá-lo a respirar de modo mais espontâneo. Deitado no chão, coloque as pernas para cima. Seus joelhos devem estar levemente flexionados. Flexione os tornozelos e empurre-os para cima, pelos calcanhares.

Suas pernas devem começar a vibrar.

Mantenha-as vibrando com os calcanhares projetados para cima.

Perceba que sua respiração vai se tornando mais profunda. Veja a Figura 10.

» Seu abdome estava tenso? Você conseguiu soltá-lo? Tente fazer isso mantendo os glúteos contra o chão.
» Perceba também que sua respiração foi desencadeada pelas vibrações das pernas.
» Após um minuto, coloque os pés de volta no chão, em posição de descanso. Como está sua respiração agora?

Observe até que ponto você relaxou. Faça estes três exercícios respiratórios simples sempre que sentir necessidade de se soltar e relaxar. Eles tomarão cinco minutos, no máximo.

FIGURA 10 – Vibração – pernas para cima

Nunca será demais acentuar a importância da respiração. Ela está tão intimamente ligada à vida que tem sido identificada com o espírito vital. De acordo com a Bíblia, Deus, ao criar Adão, tomou um punhado de terra e nele soprou a vida. Os gregos usam a mesma palavra, *pneuma*, para respiração e espírito. Nos ensinamentos da ioga, a força vital que anima todas as vidas é chamada de prana. A principal fonte de prana para o ser vivo é o ar. Por meio da respiração, absorvemos prana para dentro do corpo. O praticante de ioga faz exercícios especiais para controlar e regular a respiração a fim de armazenar prana. Estes exercícios, chamados de pranaiamas, são a base da hataioga. "Respirar é viver", diz um velho provérbio sânscrito, "e, se você respira bem, viverá muito tempo na terra".[7]

Contudo, existe uma diferença entre a respiração da ioga e a da bioenergética. Nosso objetivo não é dar-lhe uma experiência religiosa ou mística, mas ajudá-lo a ter mais vitalidade e a conscientizar-se de si e do outro. O nosso enfoque, portanto, recai sobre a respiração natural – fácil, profunda e espontânea. Não se trata de fazê-lo respirar, mas de deixá-lo respirar. Todo distúrbio da respiração natural se deve a padrões inconscientes de contenção ou a tensões musculares. Talvez você não respire plenamente por medo de explodir num grito. Se esse é o seu problema, descubra um local isolado e faça-o, deixe-o sair. Um carro na estrada é um excelente lugar para gritar: ninguém jamais o ouvirá. Gritar é uma técnica antiga de liberação. Senhoras vitorianas a conheciam muito bem. E ainda funciona maravilhosamente.

4. Sexualidade

A bioenergética fundamenta-se no princípio de que, sendo o organismo uma unidade, a saúde é também um conceito unitário. Isso significa que existe uma identidade entre saúde física e mental, entre saúde emocional e sexual. A unidade do organismo pode ser descrita como um círculo. Cada aspecto de sua saúde está relacionado com outro e reflete sua saúde como um todo.

Uma ruptura na unidade do círculo, em qualquer ponto, provocará uma fenda na integridade do organismo e afetará sua saúde em todos os níveis. Assim, por exemplo, problemas e ansiedades sexuais afetarão seriamente a saúde física, emocional e mental de um indivíduo. O mesmo pode ocorrer com qualquer outro distúrbio. O efeito é sempre abrangente.

Para entendermos esse conceito, devemos pensar na saúde em termos positivos. A saúde física é vista como mais do que a ausência de sintomas. Manifesta-se num corpo bonito e gracioso, vibrantemente vital, não apenas livre de doença. Tal corpo comporta uma mente calma e clara na qual não existem conflitos reprimidos. Também a saúde emocional é definida de modo positivo: implica ter pleno domínio das nossas faculdades e de toda nossa vasta gama de sentimentos. Naturalmente, essa definição inclui a capacidade de sentir e expressar plenamente a própria sexualidade e de ter prazer com ela. Essa é nossa definição de saúde sexual. Em resumo, ser vibrantemente vital pode equivaler à capacidade de ter prazer e alegria de viver. Veja a Figura 11.

Já mencionamos que uma das razões de se manter o abdome contraído é controlar e limitar as sensações sexuais. Essa contração também restringe sobremaneira a respiração e reduz a sensação de *grounding*. Se alguém procura ser vibrantemente vital, sua pelve deve ser liberada e seu fluxo de sensações sexuais, desobstruído. Portanto, o modo como a pessoa mantém a pelve é tão importante quanto a forma como ela posiciona a cabeça.

O distúrbio pélvico mais comum é o encolhimento dos glúteos. A pelve é puxada para a frente e as nádegas são mantidas tensas, como um cão com

FIGURA 11 – Unidade do organismo

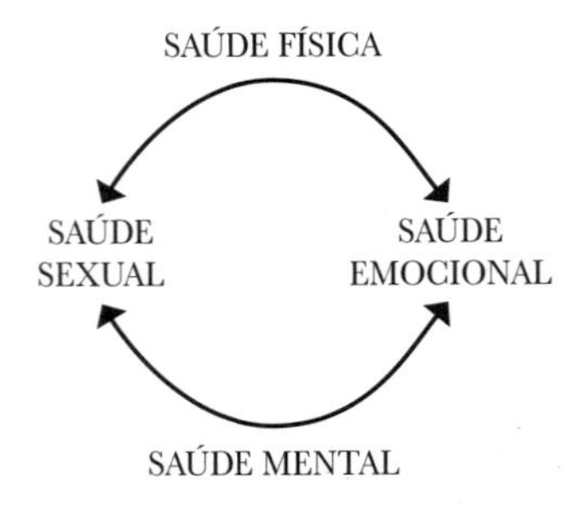

o rabo encolhido entre as pernas. Em consequência, a região lombar fica ereta e a curva lombar fisiológica desaparece (Figura 13), gerando grande pressão na área lombossacral (terço inferior da coluna). Você pode sentir essa pressão encolhendo-se numa cadeira dura, de espaldar reto, com as nádegas para a frente. A pressão é sentida na região inferior das costas e no abdome, sendo imediatamente aliviada se as nádegas forem colocadas para trás e você se sentar de forma ereta. Por outro lado, você pode se encolhe sem dor numa espreguiçadeira porque o peso do corpo está distribuído ao longo de toda a região das costas e coxas. A maioria dos problemas na região lombar acomete indivíduos com nádegas encolhidas e o terço inferior das costas ereto. Contudo, em qualquer pessoa cuja pelve é mantida imóvel tanto para a frente quanto para trás existe uma predisposição a dores lombares. Como essas duas posturas criam uma considerável tensão nos músculos da região inferior das costas, a dor poderá surgir quando tal pessoa se vir sob pressão, seja de natureza física ou emocional.

As três figuras seguintes ilustram os diferentes pontos de tensão de acordo com a postura do corpo.

A Figura 12 mostra um alinhamento saudável do corpo. Note que o peso corporal é levado para a frente, para a planta dos pés. O corpo permanece equilibrado porque a pelve está ligeiramente puxada para trás, porém se mantém solta. Note também que os joelhos estão fletidos, o que permite que eles absorvam o choque em qualquer situação de pressão. Nessa postura, a pressão de gravidade e as pressões da vida são transmitidas por meio das vértebras para a pelve e dos ossos pélvicos para as articulações do quadril. Uma vez que as pernas estão adequadamente alinhadas com o corpo (o que ocorre quando os artelhos ficam apontados diretamente para a frente e os joelhos, centrados

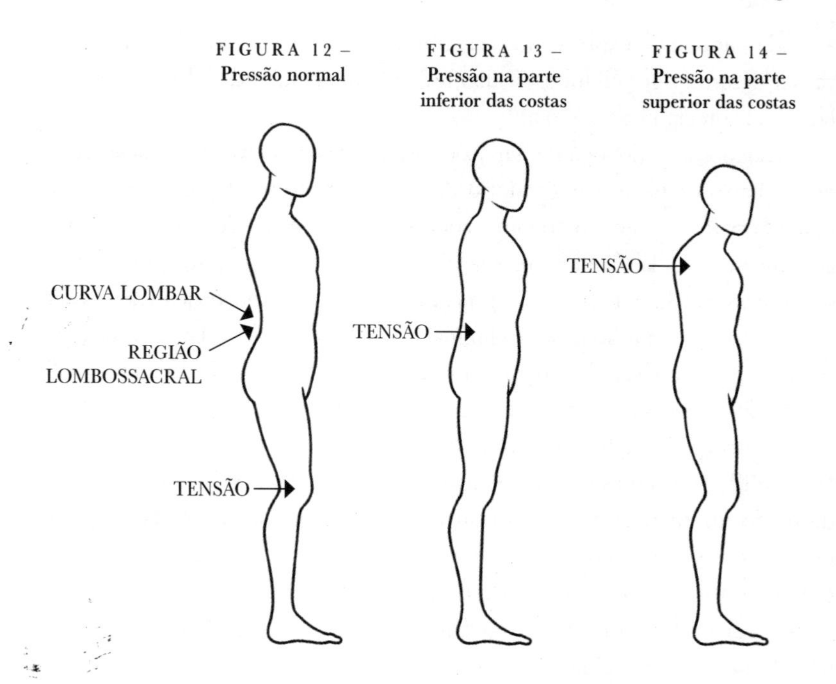

sobre os pés), o peso do corpo e qualquer pressão adicional passa através das pernas para os pés e o chão. Esse deslocamento da pressão para as pernas só acontece quando a pelve está inclinada para trás.

Na Figura 13, o encolhimento das nádegas e o travamento dos joelhos colocam a pressão sobre a lombar, criando uma predisposição a distúrbios nessa região. Note que o peso do corpo está sobre os calcanhares. O corpo inclina-se para trás, numa posição passiva.

Na Figura 14, a pressão é levada para a parte superior das costas, o que causa uma saliência nessa área. A cabeça está inclinada para a frente. Pode-se dizer que quem tem essa estrutura carrega alguém nas costas.

O que a pelve inclinada para trás tem que ver com o sexo? Quando a pelve está para a frente, mantém-se em posição de descarga. Isso significa que qualquer sensação sexual fluirá diretamente para os genitais, órgãos de descarga. Quando a pelve é mantida para trás, mas descontraída, está em posição de ser carregada, ou seja, pronta para ser preenchida com sensações sexuais. Pode-se traçar uma analogia com o gatilho de um revólver: para trás, ele está empinado e pronto para disparar; para a frente, é descarregado. O mesmo acontece com uma pessoa ou um animal. Quando o animal mantém a cauda para cima, expressa alegria e excitação. A pessoa nesse estado poderia ser descrita por "olhinhos brilhantes" e "rabo abanando". Em outras palavras, ele ou ela está "aceso(a)".

Estamos falando aqui de sensações sexuais, não apenas de excitação genital. O baixo-ventre é o reservatório de sensações sexuais. Quando a pelve é mantida para a frente e o abdome, contraído, essa função de reservatório fica largamente perdida. Como a pessoa não consegue "conter" sensações sexuais, suas únicas escolhas são "atuar" – procurar a liberação sexual do jeito que puder – ou, quando isso for impossível, eliminar o sentimento. Isso se faz prendendo a respiração e imobilizando a pelve. Em consequência, a pessoa não está sexualmente viva e precisa ser "ligada"; não há *grounding* em sua natureza sexual.

Um corpo sexualmente vivo é caracterizado pelo balanço livre da pelve. Isso significa que esta se move de forma espontânea: não está sendo empurrada ou fixada nem se move aos trancos (algumas pessoas enrijecem a pelve porque seus movimentos não estão livres). Vimos antes que a pelve se move espontaneamente a cada respiração – para a frente na expiração e para trás na inspiração. Ela também se move livre e facilmente a cada passo que damos. Observe o belo gingado do quadril das mulheres originárias do Caribe ou das ilhas do Pacífico, parte de sua graça natural. Os homens dessas regiões também andam com o quadril livre, embora isso seja menos visível. Em contraste, as pessoas de culturas mais "sofisticadas" andam de maneira dura, com os glúteos contraídos.

Estes exercícios não vão livrá-lo de eventuais problemas sexuais. Isso é tarefa da terapia. Memórias sexuais reprimidas, datadas da infância, devem ser recobradas, e a sutil tensão sexual existente entre pais e filhos, exposta. Porém, estes exercícios não apenas ajudam a terapia: são essenciais a ela. Não basta livrar o indivíduo das ansiedades sexuais da sua mente; é também necessário livrar seu corpo da tensão e recobrar a mobilidade de sua pelve. E isso só pode ocorrer por meio de uma abordagem física.

Para ser efetiva, tal abordagem tem de envolver o corpo todo, devendo começar com uma atividade vibratória nas pernas. Cedo ou tarde, esta subirá e chegará à pelve. Em seguida, é importante desenvolver a sensação de ser/estar *grounded*, uma vez que a sexualidade adulta está relacionada com o senso de independência e de manter-se sobre os próprios pés. O *grounding* dá à pessoa a sensação de independência e maturidade que torna sua expressão sexual uma atividade responsável do seu ser pleno. Por fim, a respiração tem de ser aberta e aprofundada até a região abdominal, de forma que os movimentos pélvicos se tornem coordenados com as ondas respiratórias. Isso permite ao corpo todo participar da resposta orgástica.

Por fim, é muito importante não contrair as nádegas. Isso acontece quando se traz para cima o assoalho pélvico e se contrai o ânus. Essas tensões representam o medo de "deixar acontecer", ou seja, de defecar ou fazer sujeira. Originárias do treino infantil para o controle esfincteriano, elas são agora inconscientes e bloqueiam a entrega total à descarga sexual. Nos próximos exercícios e em todos os seguintes, tente soltar o assoalho pélvico e descontrair o ânus, como se estivesse indo ao banheiro. Você não vai fazer sujeira. O esfíncter interno do ânus permanece fechado. Ele se abre apenas quando existe matéria fecal para ser evacuada. Se sentir ansiedade diante do assunto, vá ao banheiro antes dos exercícios.

Exercício 7 – Rotação dos quadris

Neste ponto, talvez você queira tentar um exercício simples para testar sua responsividade sexual e sentir suas tensões pélvicas.

Fique em pé, com os pés separados mais ou menos 30 cm, retos e paralelos, joelhos ligeiramente fletidos e o peso do corpo sobre a planta dos pés. Os ombros devem estar para baixo, o peito solto e o abdome para fora. Coloque as mãos no quadril. Nessa posição, tente lentamente girá-lo num círculo, da esquerda para a direita. O movimento deve ocorrer sobretudo na pelve e envolver o terço superior do tronco e as pernas apenas minimamente.

Depois de meia dúzia de círculos da esquerda para a direita, inverta a direção e faça o mesmo número de círculos da direita para a esquerda. Veja a Figura 15.

» Você estava prendendo a respiração? Tente coordená-la com o movimento.
» Seu abdome se contraiu? Se sim, você estava eliminando as sensações sexuais. Tente deixá-lo solto.
» Você conseguiu manter o ânus aberto e o assoalho pélvico relaxado ou esqueceu essas partes?
» Conseguiu manter os joelhos fletidos?
» Foi capaz de manter o peso sobre os pés ou ficou instável?
» Sentiu alguma dor ou tensão na parte inferior das costas ou das coxas? Essas regiões costumam ser muito tensas na maioria das pessoas.

Não queremos sugerir que, se você faz este exercício com facilidade, está livre de qualquer tensão ou problema sexual. O inverso, contudo, é verdadeiro. Se não consegue fazer este exercício facilmente, com certeza você tem um problema. Neste, como em outros exercícios, o critério importante é que haja *grounding*. Se não há, o balanço pélvico carece de uma tonalidade emocional. Para entender isso melhor, considere o que acontece com uma corda de violão que está solta de um lado. Se ela for vibrada, se moverá, mas o movimento não produzirá uma nota musical. Isso acontece apenas quando a corda está firme dos dois lados e com a tensão adequada.

Exercício 8 – Arco das costas e balanço da pelve

Existe outro exercício sexual que pode trazer mais claramente à consciência suas tensões pélvicas e lombares.

Deite-se no chão com os joelhos flexionados, de forma que seus pés fiquem paralelos e completamente apoiados no chão. Arqueie a região inferior das costas e pressione os glúteos contra o chão; enquanto isso, inspire inflando o abdome o máximo possível. Depois, expire e permita a rotação da pelve para a frente, pressionando os pés suavemente para baixo, de forma que ela seja discretamente suspensa. Em seguida, inspire de novo e balance-a para trás, arqueando e pressionando os glúteos contra o chão. Faça este exercício por 15 a 20 respirações. Sua respiração deverá ser lenta. Veja a Figura 16.

- » Quando sua pelve veio para a frente, seu abdome se contraiu? Se isso aconteceu, você está suspendendo a pelve com os músculos abdominais em vez de usar os pés e os músculos das coxas.
- » Você contraiu os glúteos quando a pelve veio para a frente? Se isso aconteceu, você eliminou sensações nas nádegas; tente mantê-las relaxadas.
- » Você deixou de sentir os pés no chão em algum momento? Se os pés perderem contato com o chão, a pelve não ficará livre nesses movimentos.
- » Conseguiu sentir os movimentos respiratórios na pelve? A coordenação de movimentos pélvicos e respiratórios não é fácil de obter.
- » Sentiu-se envergonhado ao fazer esses movimentos sexuais? Essa é uma boa oportunidade para analisar sua atitude em relação ao sexo. Apesar de toda nossa sofisticação sexual, muitos têm profunda vergonha de reconhecer a própria sexualidade em movimentos pélvicos ondulantes e soltos.

Devido à predominância da passividade e da tensão subjacentes na região inferior do corpo, é comum as pessoas puxarem ou empurrarem a pelve para a frente, em vez de deixá-la mover-se livremente na articulação dos quadris. Para puxar a pelve para a frente é preciso contrair os músculos abdominais; para empurrá-la para a frente, é preciso contrair as nádegas. Ambas as ações reduzem a sensação sexual e bloqueiam o movimento pélvico involuntário, que deveria ocorrer no clímax do ato sexual.

FIGURA 15 – Balanço dos quadris

Se a pelve começa a mover-se de modo espontâneo durante estes exercícios, você desenvolverá aí algumas sensações muito agradáveis, porém não terá um orgasmo. Os órgãos genitais não serão excitados, a menos que você deliberadamente fantasie um encontro sexual. No entanto, isso não é recomendável, na medida em que você focalizará a atenção nos genitais e se desviará do que está acontecendo na pelve. Quando este exercício é feito em grupo ou na terapia, a excitação genital quase nunca acontece. Mas talvez você queira saber o que fazer caso fique excitado em casa. Não haverá objeção se, na privacidade do seu lar, você quiser se masturbar. É uma atividade normal, que nos ajuda a aceitar e descobrir prazer na sexualidade. Porém, o propósito destes exercícios não é o de estimular sensações genitais.

Em bioenergética, acreditamos que as sensações e os sentimentos podem ser conscientemente contidos ou expressos, dependendo da situação. Sua excitação genital vai diminuir e desaparecer ao começar outro exercício. *Sentimentos não têm de ser expressos ou demonstrados por meio de atuação.*[8] A ideia é ganhar a capacidade de expressar sentimentos e sensações, mas quando ou como o faremos depende da determinação consciente de adequar nossos atos à situação. O desenvolvimento do controle *consciente* dos sentimentos é um importante fator de autoconhecimento.

FIGURA 16 – Movimentos pélvicos e respiração

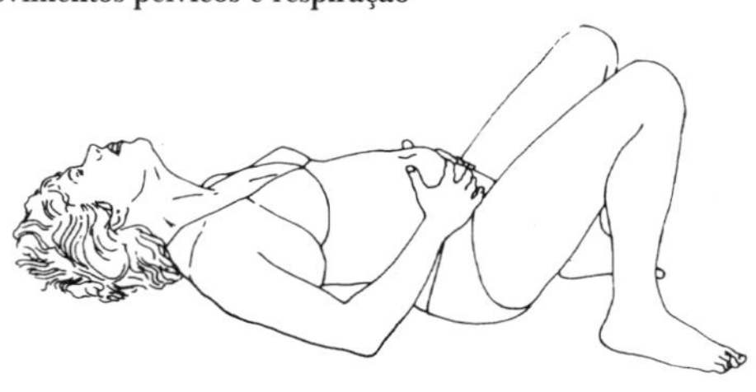

INSPIRAÇÃO < BARRIGA PARA FORA / PELVE PARA TRÁS

EXPIRAÇÃO < PELVE PARA A FRENTE / BARRIGA PARA DENTRO

O sentido do eu do indivíduo está ancorado em sua sexualidade. Ansiedade sexual, culpa ou insegurança enfraquecem esse ancoradouro e minam a força do ego do indivíduo. Para consolidar o próprio ego de forma positiva, é necessário trabalhar os problemas sexuais. Porém, é igualmente necessário trabalhar diretamente os problemas do ego, envolvidos em funções egoicas como autoconhecimento e autoexpressão.

5. Autoconhecimento e autoexpressão

A bioenergética, como outras terapias, pretende ajudar os indivíduos a desenvolver um melhor senso do eu. O eu, entretanto, não é uma qualidade abstrata, mas a totalidade do funcionamento de um ser humano. O eu não pode ser separado da autoexpressão, porque é nas atividades expressivas que o percebemos. Todavia, ao contrário do que muita gente pensa, a via consciente não é necessária para tentar expressá-lo. A maior e mais importante parte de nossa autoexpressão é inconsciente. Um movimento gracioso, o brilho nos olhos de alguém, o tom de voz, a vivacidade e a vibração expressam mais o que somos do que palavras ou ações. Entretanto, essas qualidades não podem ser cultivadas deliberadamente. São manifestações de saúde física e emocional.

Se a capacidade do indivíduo de expressar sensações e sentimentos estiver bloqueada, seu corpo ficará amortecido e sua vitalidade, reduzida. Em terapia, é preciso encontrar caminhos para ajudá-lo a tornar-se livre a fim de expressar seus sentimentos e sensações. É muito comum vermos pessoas incapazes de chorar, que não conseguem esbravejar, têm medo de mostrar medo, não são capazes de pedir ajuda, não ousam protestar. Algumas choram com facilidade, mas não mostram raiva; com outras, dá-se o contrário.

Os exercícios bioenergéticos possibilitam a prática da expressão de sentimentos e sensações numa situação controlada. Não se trata de um procedimento de encontro, pois a expressão dos sentimentos não está sendo dirigida a ninguém. Porém, quando o indivíduo é incentivado a expressar sentimentos e sensações num exercício bem conduzido, ele também recebe ajuda para adquirir controle consciente de sua expressão. O propósito desse controle não é inibir nem limitar a sensação ou o sentimento, mas tornar sua expressão eficaz, econômica e conveniente. Um ataque histérico pode ser considerado uma expressão de sentimentos, mas é em geral um desperdício de energia relativamente ineficaz. Não é de fato uma forma de autoexpressão porque irrompe contra a intenção consciente da pessoa. Não é dirigida pelo ego.

Denota falta de autoconhecimento e resulta, muitas vezes, em uma diminuição do eu. O autoconhecimento denota a capacidade de reagir com congruência a determinada situação. Não se atira com um canhão num coelho, assim como é impróprio se enfurecer diante de um problema banal. A consciência do momento oportuno é de igual importância. A hora de agir e de falar é tão fundamental quanto o que se faz ou diz. Alguns reagem depressa demais; são impulsivos e prescindem do refreamento consciente que caracteriza uma pessoa com autoconhecimento. Outros reagem devagar demais, quase sempre muito depois de a situação ter passado. Estabilidade implica perceber bem a oportunidade.

Todos nós admiramos pessoas estáveis, que estão prontas para agir e têm controle de si próprias. Estabilidade, pois, é sinônimo de autoconhecimento, a sutil coordenação entre sentir e agir, entre movimentos involuntários ou espontâneos e voluntários ou deliberados, entre o ego e o corpo.

A estabilidade se desenvolve pelo aumento da coordenação do indivíduo em todas as suas ações expressivas. Quando ele faz um movimento, a totalidade do corpo deve estar incluída, independentemente de sua restrição ou amplitude. Se determinada parte do corpo fica, de alguma forma, fora do movimento, ele está descoordenado. Sentirá, então, falta de estabilidade.

Vamos sugerir um exercício que o ajudará a avaliar seu grau de autoexpressão e autoconhecimento: o de *espernear*, que expressa a ideia de protesto. Além do mais, envolve a parte inferior do corpo, que em muitas pessoas é passiva. Caso tenha alguma dificuldade para se identificar com essa ação, pense em alguma injustiça que você tenha sofrido. Qualquer um em nossa cultura tem algo por que espernear.

Exercício 9 – Espernear

Deite-se numa cama, preferivelmente com colchão macio e sem borda. Você também pode usar um colchonete de espuma de borracha de 10 cm de espessura. Estique as duas pernas. Mantenha-as soltas com os joelhos estendidos, mas não rígidos; esperneie levantando as pernas para cima e para baixo ritmicamente. Seus tornozelos também devem estar soltos e o impacto deve ser sentido nos calcanhares e nas panturrilhas. Esperneie moderadamente no início e, aos poucos, aumente a força e a velocidade dos movimentos. Por fim, segure nas laterais do colchão e esperneie com toda a força e o mais rápido que puder.

A ação de espernear assemelha-se ao movimento cortante de uma chicotada. Se o movimento for coordenado, sua cabeça sacudirá para cima e para baixo.

Se estiver com medo de deixar-se levar (medo de soltar a cabeça), seus movimentos serão apenas mecânicos. Veja a Figura 17.

» Você parou abruptamente os movimentos ou deixou que eles fossem se esgotando? Parar de forma abrupta é como frear o carro repentina e violentamente e indica medo de deixar que o movimento alcance um término natural.
» Seus joelhos ficaram dobrados de modo que os impactos atingiram só os calcanhares? Esse tipo de movimento resulta de uma tensão excessiva dos músculos posteriores das pernas (isquiotibiais).
» Certamente você estará sem fôlego no fim. É um exercício bem intenso. Você ficou em pânico com a perda da respiração? Sentiu-se tonto? Tanto o pânico como a tontura passarão quando você voltar a respirar tranquilamente.

FIGURA 17 – Espernear

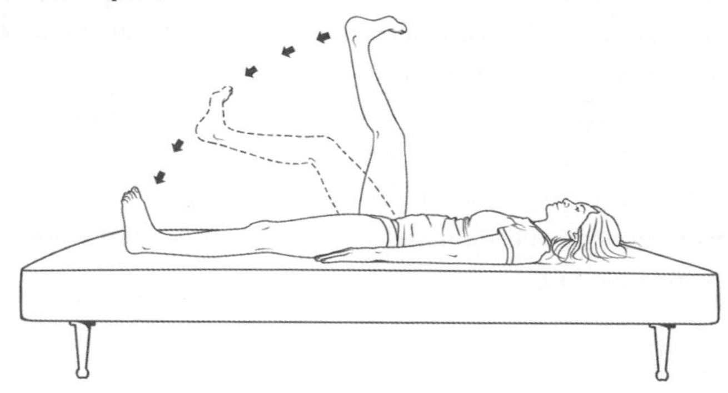

Exercício 10 – Dizer "não" enquanto esperneia

Para tornar o exercício mais forte, tente dizer "não" enquanto esperneia. O "não" deve ser repetido diversas vezes, tanto quanto possível. Ao espernear, você protesta com convicção.

» Sua voz estava forte e cheia ou fraca e hesitante? Usar a voz requer uma coordenação maior. Este exercício foi mais difícil para você?
» Você ficou assustado com o som de sua voz?

» Quando foi a última vez que você esperneou assim? Se este exercício o perturba, não o repita de imediato. Ele é muito forte para você. Deixe que aos poucos vá se tornando mais intenso e desenvolva coordenação e expressão, trabalhando de maneira mais lenta e uniforme. Recomendamos sua prática regular, mas tranquila, enfatizando o ritmo e a soltura do movimento.

Exercício 11 – Desenvolver o poder de espernear

Faça o mesmo exercício sem o uso da voz e com intensidade moderada. Esperneie 50 vezes no colchão e observe quão soltos e rítmicos estão seus movimentos. Se suas pernas cansam ou você perde o fôlego antes de chegar a 50 (contando a batida de cada perna como 1), comece com 25 ou 30. Tente aumentar de cinco a dez movimentos de espernear por dia, até atingir 100.

Quando sentir facilidade de espernear 100 vezes de uma vez, tente aumentar para 150. Depois tente 200. Quando chegar a esse patamar, estará construindo tanto um vigor constante quanto a coordenação.

Ao praticar este exercício constantemente, você perceberá que ele se torna mais fácil e proporciona mais liberdade à parte inferior de seu corpo. Você está retomando a posse das partes que antes se mostravam amortecidas.

Mais adiante, no capítulo referente a exercícios de expressão, descreveremos outras ações expressivas, tais como socar, estender-se para alcançar, olhar e outros. Existem também outros tipos de esperneio que usam o corpo de maneiras diferentes e podem ajudar a promover a coordenação e o autoconhecimento. Antes de se dedicar a eles, não deixe de ler as precauções e os conselhos no Capítulo 7.

6. Estar em contato

Uma das características da vitalidade é estar em contato. Você pode perguntar: em contato com o quê? Em contato com tudo que é captado pela sensopercepção do indivíduo. Estar em contato é estar atento ao que acontece dentro de você e ao seu redor. É muito diferente de ter conhecimento; conhecer é uma atividade mais intelectual do que perceptiva.

Todo sentir começa com o sentido de si próprio, isto é, do próprio corpo. Por meio disso percebemos o que está acontecendo no ambiente. Quanto mais cheio de vitalidade é o indivíduo, mais aguçados são seus sentidos e percepções. Note como tudo fica mais claro e preciso quando você se sente bem. Da mesma forma, quando você está deprimido, tudo parece cinza e confuso. O caminho para uma sensibilidade intensificada consiste no aumento da vitalidade, mas isso também funciona ao contrário. Se sua capacidade de sentir é limitada ou estreita, sua vitalidade diminui.

Um dos principais objetivos dos próximos exercícios bioenergéticos é ajudá-lo a sentir seu corpo ou a entrar em contato com ele. Isso é necessário porque muitas pessoas usam demais a cabeça sem ter consciência do que se passa abaixo do próprio pescoço. Elas não se dão conta de que prendem a respiração nem percebem se ela está superficial ou profunda. Muitas não sentem as pernas e os pés. Sabem que estão lá, mas usam-nos meramente como suportes mecânicos. Sentir não é uma função mecânica. Um carro pode correr bastante, mas não sente nada. Ter sensações é uma função do sentir.

Exercício 12 – Alongamento para trás

Segue um exercício simples que o ajudará a sentir uma parte do seu corpo à qual normalmente você não está atento. Suponhamos que você esteja sentado numa cadeira enquanto lê este livro. Levante os braços e faça um arco para trás com as costas sobre o espaldar da cadeira. Dê uma boa alongada e mantenha-se nessa posição por cerca de 30 segundos.

Enquanto isso, respire tranquila e profundamente pela boca. Veja a Figura 18.

» Você sentiu as costas pressionando a cadeira? Elas estavam presas ou relaxadas? Foi doloroso? Conseguiu respirar normalmente nessa posição?
» Quando esticou os braços para trás, sentiu alguma tensão nos ombros?
» Ao voltar para a posição sentada, você percebeu que tendia a curvar-se para a frente? Você deve ter sentido necessidade de alongar novamente as costas para trás, a fim de controlar essa tendência. Repita o exercício e perceba como fica mais fácil na segunda vez. Alongar os músculos das costas relaxou-os um pouco.

É preciso enfatizar a importância do contato com a parte posterior do corpo. Sem sentir as costas, o indivíduo tem muita dificuldade de respaldar, sustentar sua posição. Não basta ter a espinha dorsal (anatomicamente, todos nós a temos); é preciso senti-la; perceber se ela está muito rígida ou inflexível, ou muito solta e maleável. Se está rígida demais, a pessoa não conseguirá simplesmente abandonar essa posição e entrega-se às situações em que tais reações seriam adequadas. Se está solta demais, não obterá o nível de tensionamento ideal que a capacitaria a manter-se em posição diante de pressões. Então, ela se recolherá ou cederá facilmente. A rigidez excessiva é fruto da tensão crônica nos músculos longos das costas. Já a flexibilidade excessiva é causada por falta de tônus nesses músculos e de espasticidade dos pequenos músculos que ligam as vértebras. Em ambos os casos, as costas não estão totalmente vitalizadas e não podem prover o impulso de agressividade de que todos nós necessitamos na vida.

A pessoa rígida anda para trás numa situação de confronto, enquanto o outro tipo não consegue manter-se em pé diante da situação.

No capítulo sobre sexualidade, mostramos como a pressão é mantida pelas pernas e pela parte posterior do corpo. Nas Figuras 13 e 14, vimos que pressões incomuns podem produzir um encurvamento da parte superior das costas ou o achatamento da parte inferior. A maioria das pessoas sofre de tensões nessas duas regiões, reclamando de desconforto e de dor. Para ajudá-las a liberar essas tensões de forma que o corpo fique alinhado, usamos vários exercícios que incluem o banco bioenergético. O banco e os exercícios serão descritos no Capítulo 10. A ideia do banco surgiu do exercício que você acabou de fazer.

FIGURA 18 – Inclinar-se para trás na cadeira

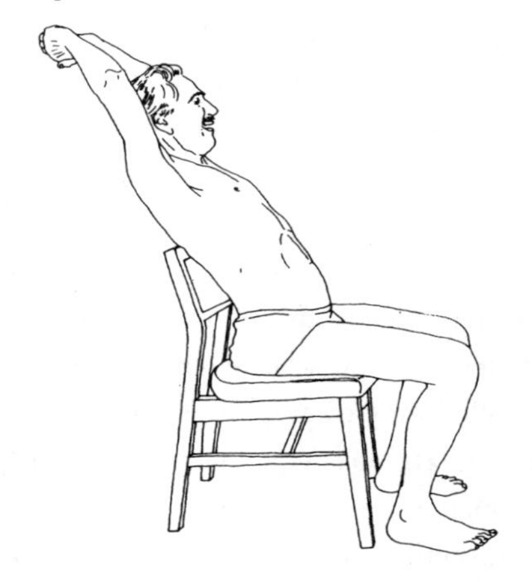

Voltando ao estar em contato, uma vez que muitas pessoas estão fora de contato com seu corpo e raramente o usam de modo ativo – exceto de forma mecânica –, os exercícios bioenergéticos parecem, à primeira vista, estranhos e estressantes. As posições aparentam ser pouco naturais; você talvez se sinta desajeitado e dolorido. Contudo, começará a perceber e sentir seu corpo de forma diferente. Depois de algum tempo, você vai se dar conta de que estava sem contato com uma boa porção dele.

Estar em contato é um processo de sentir as contrações e tensões que bloqueiam o fluxo de excitação e sentimento. Para liberar a tensão é necessário senti-la. Toda tensão é uma contração ou espasticidade muscular crônica. Essas contrações estão nos grandes músculos externos voluntários e também nos pequenos músculos internos involuntários da traqueia e dos brônquios, do canal intestinal e do sistema vascular.

Deve-se mencionar aqui que não existe tensão nervosa que não esteja relacionada com contrações e espasticidades musculares crônicas. Em geral, as pessoas estão cientes da própria tensão. Chamam-na de tensão nervosa porque não estão em contato com o estado de tensão muscular do próprio corpo. Elas não sentem a constrição que pode se desenvolver na garganta, o enrijecimento da nuca e da cintura escapular, a espasticidade do diafragma ou os nós nos músculos das pernas. Sem tal percepção, não conseguem liberar a tensão muscular e são forçadas a tomar remédios para reduzir o nervosismo. É muito melhor, embora seja mais difícil, trabalhar diretamente com a tensão muscular para obter um estado de relaxamento.

Se a pessoa sente a tensão, pode chegar ao relaxamento mobilizando os músculos contraídos por meio de movimentos expressivos ou de alongamento. Alongar lentamente o músculo contraído fará que ele se "deixe ir". Assim que a tensão é liberada, o músculo entra num tremor ou vibração, como uma mola. Movimentos expressivos, como espernear e bater, servem ao mesmo propósito porque ativam a musculatura contraída. Uma liberação emocional, como o choro, costuma relaxar também as tensões internas.

O relaxamento representa um estado de expansão do organismo em contraste com o de tensão – ou seja, de contração. O relaxamento requer energia e só pode ser efetivado se a respiração estiver livre durante o exercício. O relaxamento pode ser sentido em qualquer parte do corpo pelo aumento da temperatura e pela melhor coloração, à medida que mais sangue atinge a área. Já as partes contraídas são frias e parecem relativamente sem vida ao toque. Descrevemo-las como áreas "mortas", ou seja, partes do corpo com as quais não estamos em contato.

O processo de contato com o corpo nunca termina. No decorrer dos exercícios, você sentirá muitas partes do seu corpo de forma diferente; além disso, desenvolverá novos padrões de postura e movimento. Seu autoconhecimento e sua autoexpressão aumentarão aos poucos.

Estar em contato não implica um estado de perfeição, mas de vitalidade. Independentemente de quanto tempo a pessoa trabalhar com seu corpo, sempre permanecerão algumas tensões. Isso não é razão para desistir dos exercícios. Significa que a pessoa deve fazê-los com regularidade se quiser estar em contato com seu corpo. Precisamos reconhecer que não vivemos em uma cultura orientada para o corpo, como acontecia com os povos antigos. Nossa cultura é anticorpo – e, nesse sentido, antivida. As máquinas fazem boa parte do trabalho corporal que fazíamos anteriormente e, embora isso facilite a vida, não necessariamente a torna mais vibrante e agradável. Com o aperfeiçoamento das máquinas, o resultado é a aceleração do nosso ritmo de vida. Movemo-nos mais rapidamente, mas temos menos tempo. De fato, conforme o ritmo se acelera, não nos sobra tempo nem para respirar. Acrescentem-se a isso as enormes pressões sociais e competitivas de nossa cultura e fica mais claro que, se não contrapusermos a essas forças uma rotina positiva de atividade corporal, não conseguiremos manter a sensibilidade para a vida do corpo, essencial a uma saúde vibrante.

7. Conselhos e precauções

Estes exercícios bioenergéticos não se destinam a substituir a terapia, embora tenham valor terapêutico. Indivíduos com sérios problemas emocionais ou de personalidade não devem tentar resolvê-los por conta própria com eles, porque praticá-los com esse propósito pode trazer à tona sentimentos que estão além de sua possibilidade de manipulá-los sozinhos. Nesse caso, deve-se buscar ajuda profissional qualificada. Porém, os exercícios são benéficos quando se tem um propósito mais geral, isto é, não como terapia, mas para ajudar o indivíduo a entrar em contato com o corpo, aumentar sua energia e se sentir mais vivo.

Por vezes, a pessoa que não tem consciência da profundidade e seriedade de seus problemas embarca com entusiasmo nos exercícios e percebe que os novos sentimentos e sensações que desabrocham em seu corpo a deixam perturbada e confusa. Aqui, novamente, o melhor conselho é procurar ajuda profissional.

O trabalho corporal inevitavelmente nos leva a sentir e entrar em contato com sentimentos suprimidos. À medida que o corpo se torna mais vivo, sentimos mais. Sentir é a percepção do movimento interno, e a meta destes exercícios é aumentar a capacidade para o movimento e o sentir, de modo que, quando o corpo começar a vibrar, as vibrações aumentem e espontaneamente se transformem nos movimentos mais intensos e convulsivos do soluçar. O soluçar pode ser experimentado simplesmente como alívio ou vir acompanhado de um sentimento de tristeza, sem que a pessoa saiba por que está triste. A maioria de nós suprime a tristeza e o choro com o objetivo de apresentar um rosto sorridente para o mundo. Desde cedo aprendemos que ninguém gosta de ver um rosto triste. "Se você quer chorar, vá chorar sozinho" é um dito comum. Porém, à medida que o corpo vai se avivando, a máscara cai e a tristeza e o choro vêm à superfície.

Isso pode ocorrer. Você aceita se sentir assim? Se sim, nosso conselho é se deixar levar por esse sentimento, pois ele é a vida do corpo. Mas nem sempre é só tristeza que se revela: medo e raiva também podem se manifestar. Lembre-se de que essas emoções não são provocadas pelos exercícios, mas meramente evocadas por eles. Tais sentimentos foram suprimidos por uma tensão muscular crônica e pelo amortecimento do corpo. De novo a questão é: você aceita sentir tal emoção percebendo que ela se refere a uma situação passada? Você só precisa dizer: "Sim, estou com medo" ou "Estou com raiva". Se você conseguir ficar com a emoção ou contê-la, isso o beneficiará. Você também pode descarregá-la expressando-a, se conseguir exprimi-la. Uma maneira de descarregar o medo em bioenergética é gritando; de descarregar a raiva, batendo num colchão ou torcendo uma toalha. Esses temas serão aprofundados mais adiante neste livro.

Só surgem problemas durante estes exercícios se você estiver com medo ou tomado pelas emoções. Nesse caso, pare-os imediatamente e permita que a emoção desapareça. Não se ganha nada assim e pode ser perigoso tentar superar uma ansiedade associada a emoções com as quais você não consegue lidar. Como dissemos antes, será necessário procurar ajuda profissional. Entretanto, se conseguir manter a consciência corporal e emocional, você se tornará progressivamente mais capaz de aceitar seus sentimentos, contê-los e expressá-los de forma mais oportuna.

Caso tenha alguma deficiência física ou doença, consulte seu médico antes de começar qualquer rotina de exercícios, inclusive esta. Os exercícios em si não são perigosos nem prejudiciais ao corpo, inclusive mesmo em caso de doença, mas a aprovação de um profissional é importante. Utilizamos, com bons resultados, alguns deles em pessoas com problemas clínicos. Nesses casos, entretanto, os exercícios foram cuidadosamente elaborados para que não exigissem demais dos pacientes. O perigo real está em forçar os exercícios além da sua capacidade de tolerar a pressão, pensando que assim você conseguirá liberá-la.

Essa afirmação é especialmente verdadeira para aqueles que têm dores na parte inferior das costas, resultantes de tensão muscular. Em alguns casos, esse problema pode ser complicado por artrite na região lombar ou hérnia de disco com pressão nas raízes dos nervos. Em nenhum dos casos os exercícios são contraindicados, mas devem ser feitos com uma conscientização sensível do corpo. Muitas pessoas sentiram alívio graças a eles, mas o procedimento usado nunca demandou o uso de força ou tração.

É um princípio fundamental da bioenergética que ninguém pode forçar uma tensão a liberar-se. O uso da força cria tensão em vez de soltá-la. O corpo pode ser estendido até o ponto de dor, de modo que se localize a tensão, mas a liberação só ocorre por meio de um "deixar acontecer" ou "deixar ir". Para tanto, você deve perceber ou sentir: 1) que está se contendo; 2) diante do que está se contendo; e 3) por que está se contendo. Se conseguir perceber esses aspectos ao entrar em contato com o seu corpo, o "deixar acontecer" vai ocorrer por si.

É um axioma da medicina que a cura do corpo ocorre naturalmente na maioria das situações. Isso também deveria valer para as tensões. Porém, se não ocorre, é porque não confiamos suficientemente no corpo para "deixar acontecer", ou seja, acompanhar o que quer que ocorra nele de forma espontânea. Sempre nos ensinaram a controlá-lo como se ele fosse um animal perigoso e selvagem. Mas é esse controle, na medida em que se torna inconsciente ou arraigado, que cria as tensões que nos fazem sofrer. Não é, portanto, uma questão de fazer mais, mas de fazer menos. Por meio destes exercícios, esperamos que você compreenda de que forma controla seu corpo, isto é, tensiona os músculos para mantê-lo rígido e relativamente amortecido. Não queremos que obrigue seu corpo a tornar-se vivo, e sim que o deixe tornar-se vivo.

Nosso conselho mais valioso é não entender os exercícios como algo a desempenhar. O tempo que você aguenta determinada postura de pressão significa muito pouco. Lembre-se de que o aço suporta mais pressão do que qualquer ser humano. Se você consegue aguentar pouca pressão, isso não o torna uma pessoa inferior. Você pode aumentar a tolerância à pressão por meio dos exercícios – não com força de vontade, mas com a força do tecido muscular. Isso significa mais energia e vitalidade. Fazendo os exercícios, o mais importante é sentir baseando-se no movimento e na vibração. Concentre-se na sensação. Como você sente pés, pernas, pelve, abdome, peito, ombros, cabeça e pescoço? Você sente as costas? E, finalmente, o coração? Se conseguir sentir lá dentro seu coração, terá atingido o cerne do seu ser.

De início, talvez pareça que os exercícios não trazem prazer, mas dor. Você ficará surpreso ao perceber que, com o passar do tempo, eles se tornarão agradáveis e lhe permitirão sentir-se realmente bem. A dor é reflexo do nível de tensão do seu corpo. Quando a tensão é liberada, você começa a experimentar prazer.

Não faça estes exercícios como se estivesse executando um comando automático. Você não é seu sargento instrutor. Realize-os-os devagar, com tempo para respirar e sentir. E, já que está buscando o relaxamento, faça-os de maneira tranquila e descontraída. Não seja compulsivo. Caso perca um dia, uma semana ou mesmo um mês, ninguém vai dar-lhe nota baixa ou puni-lo. Tudo bem se você der um tempo ou uma parada; sempre poderá começar de novo.

O tempo despendido nestes exercícios é uma questão de disposição pessoal. Nossas aulas duram cerca de uma hora. Em casa, as pessoas levam de cinco minutos a uma hora. É mais fácil e agradável fazê-los em grupo, mas é mais conveniente fazê-los sozinho em casa. Em ambos os casos, não há uma rotina. Nunca fazemos todos os exercícios de uma vez: escolhemos aqueles que são mais indicados para nossas necessidades.

Provavelmente, a melhor hora para fazer qualquer exercício é pela manhã, após levantar-se e tomar um banho quente. Isso o prepara para o resto do dia. Ao se sentir mais cheio de vida e energizado, seu dia transcorrerá mais suavemente. O banho antes dos exercícios solta seu corpo depois de uma noite de sono. Entretanto, qualquer momento é adequado, exceto após uma refeição substancial. Se você é dos que comem em excesso, pode ser que os exercícios reduzam seu desejo de comida.

Às vezes, praticar alguns exercícios à noite, sobretudo os de respiração profunda, o fará dormir com mais facilidade. Pegar no sono implica desligar-se da cabeça e sintonizar o corpo. Se você estiver superexcitado e sua mente "a mil", será difícil "deixar-se levar" pelo sono. Por meio dos exercícios, você pode voltar ao seu corpo, facilitando, dessa forma, o entrar no sono. Se fizer muitos exercícios antes de ir para a cama, todavia, poderá se sentir sobrecarregado e ficar excessivamente alerta.

Agora você está pronto para praticar os exercícios de maneira sistemática. Isso não quer dizer que deva mergulhar nos exercícios de sexualidade sem fazer um aquecimento preliminar e um pouco de *grounding*. Também não significa que você deva obrigatoriamente seguir a ordem dos exercícios dada neste livro. Caso seja principiante, familiarize-se aos poucos com eles, fazendo alguns por vez. Perceba o sentido deles e sinta o que eles fazem por você; depois, tente outros. Quando estiver familiarizado com todos os exercícios da Parte II, escolha praticar regularmente aqueles que lhe forem mais benéficos. Na Parte III há sugestões para executá-los em casa e conduzir uma sessão de exercícios bioenergéticos.

PARTE II
Exercícios

8. Exercícios-padrão

Os exercícios-padrão seguem uma ordem sistemática, que se reflete nos títulos das seções do capítulo e implica trabalhar com o corpo de baixo para cima. Nenhuma estrutura é mais forte do que as suas fundações – no caso de um adulto, seus pés e pernas. Quanto mais a pessoa sentir essa parte do corpo, maior o contato com ela e com o chão em que pisa, e mais segura será a sua base como indivíduo. Esse é um trabalho fundamental para aqueles que vivem numa cultura como a nossa, que orienta para a cabeça mais do que para o chão.

Começaremos com uma série curta de exercícios destinados a focalizar sua consciência sobre o corpo e orientá-lo a ficar em pé de uma forma que lhe traga a percepção de suas pernas e pés e do chão que está por baixo. Tal sequência será seguida por exercícios de aquecimento; qualquer um deles ajudará a preparar o corpo para futuros exercícios que exijam mais energia.

Deve-se dedicar um tempo considerável aos exercícios de *grounding*, isto é, ao trabalho com pernas e pés, pois eles são cruciais para o trabalho corporal. À medida que formos subindo, nossa próxima área de atenção será a pelve e os quadris. Oferecemos aqui diversos exercícios que ajudam a mobilizar e relaxar os músculos dessa parte do corpo. Depois focalizaremos braços, mãos e ombros, e terminaremos com uma série de exercícios para liberar tensões na região da cabeça e do pescoço.

Conforme o trabalho for incidindo em partes superiores do corpo, é essencial que as partes inferiores não sejam ignoradas. A conscientização obtida por meio dos exercícios de *grounding* deve estar presente no trabalho com todas as outras partes do corpo. Assim, gradualmente, o corpo inteiro é envolvido em todos os movimentos. A pessoa se move como um todo, como uma unidade, e qualquer movimento, grande ou pequeno, começa do chão.

Os exercícios-padrão também incluem movimentos e manobras feitas com o indivíduo sentado e deitado. Existe uma seção especial destinada aos exercícios mais indicados para cada uma dessas posições.

EXERCÍCIOS DE FOCALIZAÇÃO E ORIENTAÇÃO

Estes exercícios o ajudarão a alcançar o alinhamento correto do corpo e focalizar áreas que geralmente precisam de atenção. O Exercício 13, numa aula, serve para unir os elementos do grupo, pois direciona todo o trabalho corporal. É a posição primordial da qual partem todos os exercícios feitos em pé; mais tarde, nos referiremos a ela como posição básica de orientação.

Exercício 13 – Posição básica de orientação

Se estiver em grupo, forme um círculo. Cada um deve se voltar para dentro do círculo, com os pés paralelos e separados 20 cm. Incline-se para a frente e desloque o peso do corpo para a planta dos pés. Flexione ligeiramente os joelhos e mantenha a pelve solta e inclinada para trás e a parte superior do corpo reta e relaxada.

Solte o abdome e faça quatro ou cinco respirações abdominais profundas e audíveis. Solte o assoalho pélvico (como se fosse defecar ou urinar). Se ficar apreensivo, vá ao banheiro primeiro. Você descobrirá que essa ansiedade de "deixar acontecer" existe independentemente de precisar ir ou não.

Agora respire profundamente e procure sentir até que ponto você pode "deixar-se cair" sobre os próprios pés.

» Sua respiração estava livre, fácil, profunda? Você sentiu os movimentos respiratórios na cavidade abdominal? Conseguiu liberar um som?
» Seus joelhos estavam flexionados e os pés, paralelos durante todo o exercício?
» Sua pelve estava solta e para trás? Conseguiu perceber algum enrijecimento dos glúteos ou tensão no assoalho pélvico?
» Pôde sentir o peso do corpo assentando-se na planta dos pés?

Se todo o peso do corpo repousar na planta dos pés, não haverá a desnecessária contenção em outros pontos do corpo. Os ombros poderão descer naturalmente e o peito ficará leve; a pelve, solta e inclinada para trás, na posição adequada. Infelizmente, isso não é fácil de fazer. Nós inconscientemente temos medo de "deixar cair", e por isso nos mantemos eretos por meio de tensões em diversas partes do corpo. Seguramos os ombros para cima porque não sentimos os pés no chão, e mantemos os maxilares apertados porque temos medo de chorar. Temos medo de soltar o ânus por temermos nos sujar e, por isso, mantemos as nádegas rígidas. Contudo, com conscientização e prática, estaremos aptos a sentir nossos pés e pernas nos sustentando e o resto do corpo tranquilo e fluindo.

Exercício 14 – Alongamento "prazer de estar vivo"

Partindo da posição descrita anteriormente, estique os braços para a frente, para cima, para os lados e para baixo mantendo a palma das mãos voltada para fora. Faça isso devagar, coordenando a respiração com o movimento dos braços.

FIGURA 19 – **Posição básica de orientação – alongamento "prazer de estar vivo"**

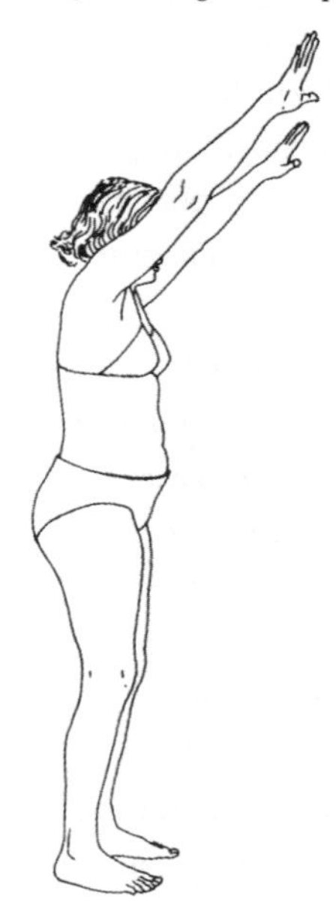

Expire com um suspiro audível quando os braços estiverem esticados para a frente; quando estiverem em cima; de novo, do lado; e, mais uma vez, embaixo.

Repita este exercício várias vezes.

A orientação dada em bioenergética é a de ter os pés plantados firmemente no chão. Ao mesmo tempo, você deve estender-se em direção ao céu. Portanto, a direção é tanto para cima como para baixo. O exercício implica duas ações: *grounding* ou "deixar cair" e "estender-se para alcançar". Ao se estender para fora ou para cima, não deixe que os pés percam o contato com o chão. Suas pernas não devem ficar tensas e sua pelve não deve ser puxada para dentro nem para cima. Estender-se para alcançar é alongar – não tensionar.

EXERCÍCIOS DE AQUECIMENTO

O exercício de aquecimento deverá preceder o trabalho corporal mais específico e intenso. Qualquer um dos exercícios seguintes servirá.

Exercício 15 – Sacudir até soltar

Fique em pé com os pés paralelos e separados cerca de 20 cm, joelhos ligeiramente fletidos, o peso para a frente, pelve solta, costas retas. Os braços devem pender livremente ao lado do corpo.

Flexione e estenda os joelhos rapidamente, como se estivesse pulando sem tirar os pés do chão.

Essa ação deverá produzir uma vibração no corpo todo que afeta a respiração, de modo que soará como a respiração ofegante de um cachorro.

Continue com este exercício por um minuto e então descanse com os joelhos ainda dobrados e respirando naturalmente.

» Todo o seu corpo vibrou com estes exercícios?
» Sua respiração estava em harmonia com o movimento?
» Você permitiu que a parte superior do corpo se inclinasse para trás, fazendo seus pés se levantarem do chão, mesmo estando com os joelhos fletidos?

Exercício 16 – Pular devagar

Partindo da mesma posição, pule devagar sobre as duas pernas, saindo o mínimo do chão. Cada pulo deve durar um segundo inteiro.

Continue com o exercício até que as pernas se cansem. Depois, descanse em pé com os joelhos fletidos, o peso para a frente, as costas retas.

» Você perdeu o fôlego? Suas pernas vibraram? Se sim, é bom sinal.

Este exercício é vigoroso e, em geral, até mesmo as pessoas que o executam corretamente ficam ofegantes. Deixe-se respirar naturalmente.

Exercício 16A – Variação

Pule sem esforço duas vezes com a mesma perna e depois altere para a outra. O ritmo é: 1-2, mude de perna, 1-2, mude de perna. É muito menos cansativo que o exercício anterior.

Exercício 16B – Variação

Saltitar ou andar batendo os pés em volta da sala, preferivelmente em círculo, balançando os braços.

Exercício 17 – Pular corda

Nas aulas da minha mulher, pode-se pular corda.

Quando as pessoas chegam, pulam um pouco para se soltar e se aquecer. Não é todo tipo de piso que aguenta um grupo grande pulando; portanto, às vezes a atividade deve ser alternada entre os participantes.

Exercício 18 – Balançar para a frente e para trás sobre os pés

Em pé, balance para trás e para a frente sobre os pés. Levante um pouco os calcanhares quando balançar para a frente e erga os dedos quando balançar para trás. Respire profundamente, sem forçar. Mantenha os joelhos fletidos e a pelve solta.

EXERCÍCIOS EM PÉ

O propósito destes exercícios é mobilizar a sensação nas pernas e nos pés de forma que você os sinta no chão. Eles também induzem uma forte vibração nas pernas, que se estenderá gradualmente para cima até incluir a pelve e a parte superior do corpo. A vibração solta as tensões e ajuda-nos a sentir melhor as pernas.

Exercício 19 – Peso numa perna com joelho fletido

Assuma a posição básica de orientação: pés separados 20 cm e paralelos, peso para a frente, pelve solta e inclinada para trás, abdome solto, corpo ereto e relaxado. Solte o assoalho pélvico. Flexione o joelho esquerdo e coloque todo o peso no pé esquerdo. O pé direito deverá estar totalmente apoiado no chão. Respire sem forçar e profundamente. Mantenha a posição até se sentir desconfortável.

Mude o peso para a perna direita, fletindo o joelho direito.

Repita mais uma vez com cada perna e volte à posição de descanso.

» Você consegue soltar-se por completo sobre cada pé ou sente alguma rigidez no joelho?

FIGURA 20 – Em pé com o peso sobre uma perna e os dedos do outro pé tocando o chão

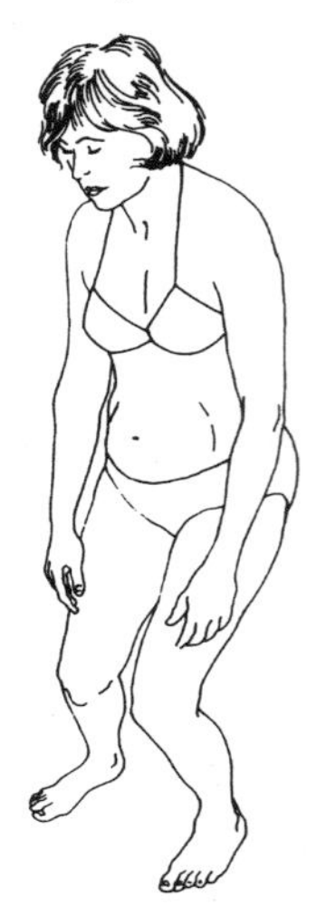

» Você prendeu a respiração?
» Suas pernas estão vibrando muito? Uma vez que elas comecem a vibrar, boa parte da dor e da tensão se aliviará.
» Ficou com medo de que o joelho dobrasse totalmente e você caísse com tudo no chão?

Esse medo, também chamado de ansiedade da queda, fará que você endureça ou tensione o joelho, colocando assim um peso excessivo nesses ligamentos. A ansiedade da queda pode ser trabalhada por meio dos exercícios descritos a seguir.

Exercício 19A – Variação

Esta é uma versão mais forte: coloque todo o peso sobre o pé esquerdo e flexione mais ainda o joelho esquerdo. Agora, levante o pé direito, mas deixe os artelhos encostados no chão para manter o equilíbrio. Essa posição promove maior pressão na perna esquerda e permite-lhe sentir mais intensamente. Fique nessa postura até sentir dor.

Não se esqueça de deixar a pelve solta e inclinada para trás e o assoalho pélvico relaxado.

Respire sem esforço e profundamente. Então repita o exercício com a perna direita.

Exercício 19B – Variação

Se você está mais adiantado, pode praticar uma variação mais vigorosa deste exercício. Coloque uma perna à frente, flexione totalmente o joelho e deixe que todo o peso do corpo repouse nessa perna.

Levante a outra perna para trás e para cima. O corpo curva-se para a frente de modo que as mãos ficam perto do chão a fim de restabelecer o equilíbrio, se necessário. Pelve para trás.

Este exercício deve ser feito num tapete grosso ou cobertor dobrado sob os joelhos, de modo que você possa se deixar cair quando o esforço se tornar muito grande.

Repita-o com a outra perna, permitindo-se novamente cair quando a dor aumentar.

Repita mais uma vez com cada perna. Volte à posição básica de orientação.

Estes exercícios mais vigorosos criam maior sensação nas pernas. Quando voltar à posição de orientação (peso na planta dos pés, joelhos ligeiramente fletidos, pelve solta e para trás, assoalho pélvico solto e relaxado), você sentirá suas pernas vibrando intensamente. Está acontecendo?

FIGURA 21 – **Peso em uma perna e a outra levantada**

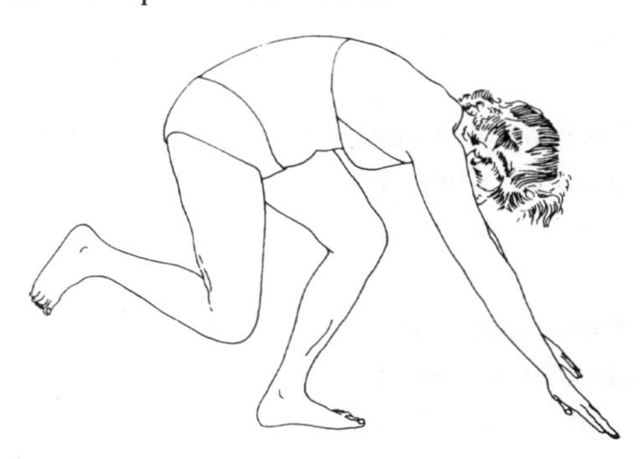

Repetição dos exercícios 4 e 1

Neste ponto, gostaríamos de reintroduzir o Exercício 4, "O arco" (veja as p. 27-28). Ele será seguido pelo Exercício 1, "Postura básica de vibração e *grounding*" (veja as p. 18-19).

Exercício 20 – Flexão total dos joelhos: cócoras

O exercício anterior pode ser seguido por este, que o aproximará do chão.

Flexione ao máximo os joelhos, ficando de cócoras. Levante um pouco os calcanhares de forma que o peso do seu corpo caia na planta dos pés. Estenda os braços para a frente e incline-se como se fosse mergulhar numa piscina. Mantenha essa posição por mais ou menos um minuto, com respiração profunda até a pelve.

FIGURA 22 – Cócoras

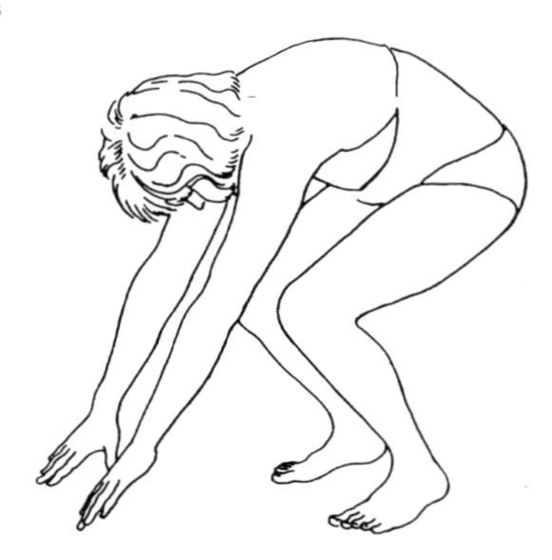

- » Você consegue sentir os movimentos de respiração na pelve?
- » É capaz de sentir a tensão na região lombar?
- » Está sustentando rigidamente os ombros?

Se seus joelhos e tornozelos estão rígidos, você não conseguirá curvar-se o bastante para ficar de cócoras. Isso significa que é preciso trabalhar mais suas pernas a fim de soltá-las.

Exercício 21 – Postura de oração muçulmana para descanso e respiração profunda

Quando estiver cansado, deixe-se cair de joelhos. Alongue-se para a frente, com as mãos à frente, palmas voltadas para o chão e a testa descansando sobre elas. Cotovelos bem afastados.

Arqueie as costas de forma que seu abdome fique o mais solto possível.

Respiração solta e profunda na região inferior do abdome.

Mantenha essa posição de descanso por 1 ou 2 minutos. É similar à posição usada pelos muçulmanos ao rezarem. Você pode sentir o ânus abrindo e fechando a cada respiração; não tenha medo de se sujar; seu esfíncter interno se manterá fechado.

Se precisar de um tempo maior de descanso, deite-se de bruços, soltando o corpo e sentindo as várias partes em contato com o chão. Isso é o mais perto do chão que uma pessoa viva pode chegar.

FIGURA 23 – Postura de descanso com apoio em joelhos e cotovelos

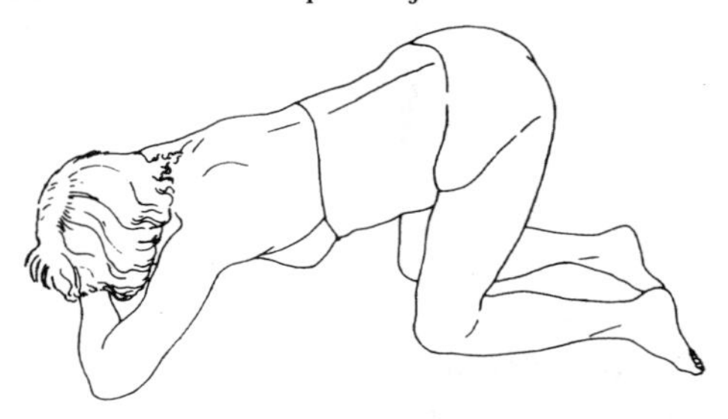

Exercício 22 – Trabalho com os tornozelos

Para a maioria das pessoas, a tensão nos tornozelos bloqueia as sensações nos pés. É necessário, portanto, soltar os tornozelos de forma que possam ser mais facilmente flexionados. Este é um exercício bioenergético importante. Desse modo, pode ser executado imediatamente após o Exercício 5 ou em qualquer outro momento. Os artelhos deverão estar o mais alongados possível.

Coloque o pé esquerdo todo no chão, mais ou menos 10 ou 15 cm atrás do joelho direito.

Desloque todo o peso para o pé esquerdo, deixando o joelho direito mover-se para o lado, se necessário. Mantenha o peso do corpo sobre a planta dos pés, alongando os dois braços à frente para manter o equilíbrio.

Balance para a frente e para trás sobre o pé esquerdo, permitindo que o calcanhar saia do chão apenas quando necessário. Pressione o pé esquerdo para baixo quando balançar para a frente.

Mantenha o joelho esquerdo na mesma linha do dedão do pé esquerdo.

Repita o exercício com o pé direito, colocando-o 10 ou 15 cm atrás do joelho esquerdo. Desloque o peso para o pé direito e repita o procedimento.

O exercício deve ser repetido com cada pé.

» Você conseguiu sentir a tensão no tornozelo? Sentiu o estiramento do tendão de aquiles (tendão que liga os músculos da panturrilha ao osso do calcanhar)?
» Sentiu o pé pressionando o chão?

» Conseguiu relaxar a panturrilha, a coxa e a parte superior do corpo enquanto pressionava o pé contra o chão?

FIGURA 24 – Postura do tornozelo

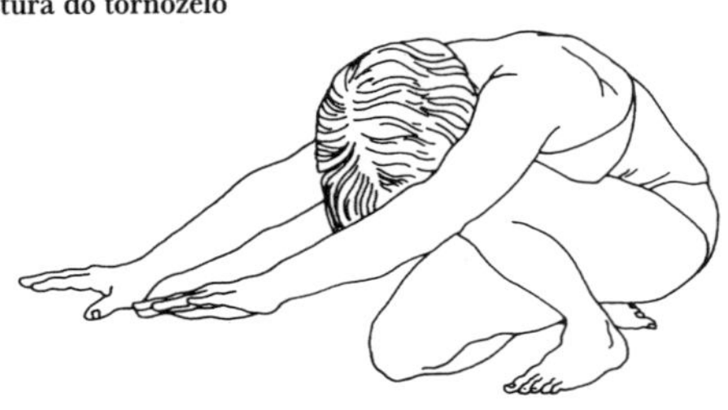

Exercício 23 – Extensão dos pés

Este é outro exercício de tornozelo, feito a partir da mesma posição que o anterior. Fique sobre os joelhos, com pernas e pés estendidos para trás. Sente-se sobre os pés estendidos. Algumas pessoas conseguem fazer isso com muita facilidade; outras sentem uma dificuldade considerável.

FIGURA 25 – Sentar sobre os tornozelos

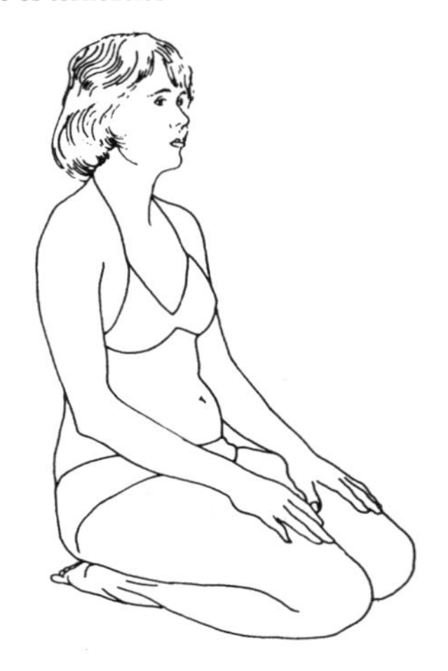

Exercício 24 – Extensão da coxa

Este exercício é feito a partir da posição do Exercício 23. Você deve estar sentado sobre os calcanhares com os pés estendidos.

Coloque as mãos fechadas contra a sola dos pés e pressione; isso deve aliviar parte da tensão dos tornozelos e pés.

Com o peso sobre as mãos fechadas, erga o quadril, estendendo as coxas. Deixe a cabeça pender para trás, formando um arco com o corpo. Isso alongará os músculos das coxas, que, na maioria das pessoas, são muito contraídos. É importante que a pelve fique solta. Mantenha a posição tanto quanto aguentar; relaxe e tente de novo.

» Este exercício provocou dor em seus pés? Essa dor indica a presença de tensão nos músculos do pé.
» Você conseguiu sentir a contração no músculo da coxa? Foi doloroso?
» Seus braços estão doloridos?

FIGURA 26 – **Levantar depois de sentar nos tornozelos**

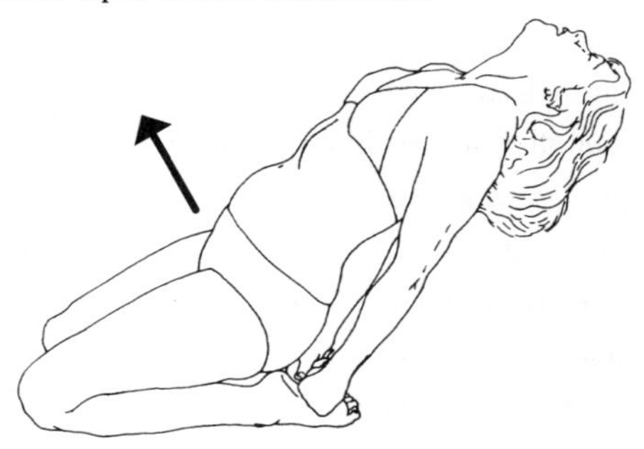

Exercício 25 – Flexão do pé: cócoras novamente

A extensão do pé pode ser invertida por meio de uma flexão. Depois dos Exercícios 23 e 24, você deve colocar-se sobre os pés, de cócoras.

Estenda os braços à frente o máximo que puder, tocando de leve o chão.

Levante muito sutilmente os calcanhares, deixando o peso recair sobre a planta dos pés. Mantenha a posição. Descanse deixando-se cair de joelhos.

» Você conseguiu sentir-se profundamente dentro de sua pelve enquanto ficou de cócoras? Recomenda-se manter essa posição por meio minuto para sentir a profundidade de sua respiração.
» A posição de cócoras ajudou-o a sentir seu ânus? Lembre-se de que essa é a posição que as pessoas usavam para evacuar antes de os modernos vasos sanitários terem se popularizado.
» Você foi capaz de relaxar as costas?
» Conseguiu sentir seu abdome?

FIGURA 27 – Cócoras com flexão total dos joelhos (flexão do pé)

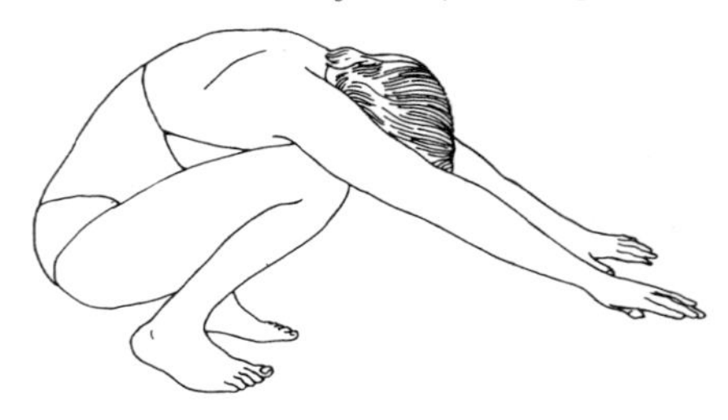

Exercício 26 – Exercício de pressão para as pernas

Este exercício tem por objetivo fazê-lo cair e, consequentemente, aliviar a rigidez nos joelhos. Primeiramente, descanse sobre eles.

Apoie totalmente o pé esquerdo no chão, 15 cm à frente e paralelo ao joelho direito.

Alongue-se para a frente e coloque a ponta dos dedos das mãos no chão, à frente do pé, a uma distância de mais ou menos 45 cm.

Desloque o peso para a frente, sobre os dedos das mãos. Enquanto faz isso, levante o pé direito do chão. Se isso for peso demais para seus dedos, use as palmas das mãos como apoio. Flexione o joelho esquerdo, de forma que ele fique a uma distância de 18 cm do chão, e traga a perna direita (que permanece fora do chão) para perto da esquerda.

Mantenha essa posição o máximo que puder sem forçar e então deixe o joelho esquerdo cair no chão. Você deve trabalhar sobre um tapete ou cobertor dobrado sobre o qual possa cair.

Volte à posição original com os joelhos no chão e repita com a perna direita à frente, seguindo as mesmas instruções.

Em geral, os indivíduos estão aptos a manter essa posição por 30 segundos, não muito mais do que isso. Você caiu imediatamente? Importante: a queda imediata do joelho denota que a perna não consegue sustentar a pessoa a menos que o joelho esteja rigidamente travado.

Os obesos têm muita dificuldade neste exercício, mas apenas parcialmente devido ao excesso de peso. Sem ir muito fundo na complexa psicologia dos obesos, acreditamos que parte de seu problema está conectada ao sentimento de insegurança quanto à capacidade das pernas para sustentá-los. Sua insegurança oral básica é compensada pelo excesso no comer. Este exercício ajuda a delimitar esse problema. Além disso, fazê-lo regularmente fortalecerá as pernas, trazendo mais sensações para tal região do corpo.

FIGURA 28 – Exercício de cair – joelhos totalmente flexionados

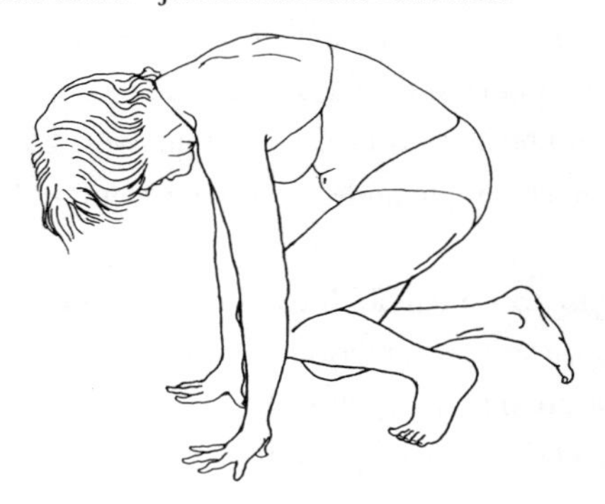

FIGURA 29 – Exercício de cair – perna esticada

» Você conseguiu manter a posição por um minuto ou mais? Se o fez, talvez signifique que suporta pressões. Nesse caso, você se abriu para uma grande pressão, maior do que o corpo pode tolerar. Este exercício não pretende testar seu desempenho. Aliás, nenhum dos exercícios deste livro tem esse objetivo. Aqui, o mais importante é a intensidade de sensações nas pernas e nos pés.
» Você respirou durante o exercício ou prendeu a respiração? Prender a respiração denota o medo de cair – que não tem relação com a situação, pois aqui não há perigo se você cair.
» Você conseguiu sentir o pé esquerdo realmente pressionando o chão para sustentá-lo?
» Percebeu que no momento em que sentia toda a pressão e toda a dor você começava a esticar a perna para evitar cair?

Repita este exercício com a perna direita. Talvez você perceba que tem mais força numa perna do que na outra. Isso é muito comum. Recomendamos que o exercício seja feito duas vezes em cada perna. A maioria das pessoas acha que é um pouco mais fácil na segunda vez. Elas têm menos medo da pressão, pois percebem que podem cair com segurança.

Repita o Exercício 13 – Posição básica de orientação

Geralmente, após o exercício anterior, pedimos à pessoa para manter-se na posição de orientação, ou seja, joelhos flexionados, peso para a frente, abdome solto, costas eretas, pelve solta, ombros e peito para baixo. Solicitamos então que respire tranquila e profundamente com o abdome e que tome consciência de seus pés e pernas.

» Suas pernas estão vibrando?
» Você consegue sentir um fluxo de excitação nas pernas e nos pés?
» Você está mais consciente de seus pés? Eles parecem estar mais quentes? O aumento de temperatura resulta de um fluxo sanguíneo mais intenso.
» Você sente os pés mais em contato com o chão?

Exercício 26A – Variação

Esta variação é muito útil porque dá ao indivíduo a sensação de que suas pernas podem levantá-lo e sustentá-lo. A posição e o procedimento são semelhantes aos do Exercício 26. Você deve posicionar-se para a frente, sobre o pé esquerdo, com o joelho flexionado e o peso quase todo sobre as mãos. Traga o corpo para trás, sobre o calcanhar do pé esquerdo, que agora descansa sobre o chão. Embora suas mãos ainda estejam tocando o solo, não deve haver peso nelas. Pressione para baixo sobre o pé esquerdo, estendendo parcialmente o joelho esquerdo até sentir que a perna esquerda suporta o seu peso.

Repita o exercício deixando novamente o joelho esquerdo fletir-se, deslocando seu peso para a frente sobre as mãos, até chegar à posição original. Depois volte para trás, até que todo o seu peso seja transferido para o pé esquerdo.

Repita o exercício sobre a perna direita.

» Você consegue sentir a capacidade de suas pernas de sustentá-lo?
» As pernas parecem estar mais "presentes"?

Exercício 26B – Variação

Nesta versão, a pessoa se levanta completamente sobre cada perna, da mesma forma descrita anteriormente, tirando as mãos do chão. Quando voltar à posição em pé, ambos os pés devem estar bem plantados no chão.

Exercício 27 – Sacudir a perna para soltar

A partir da posição descontraída em pé, descrita no Exercício 13 (veja as p. 62-63), levante uma perna estendida e comece a balançar o tornozelo repetidamente para soltar qualquer tensão. Faça o mesmo com a outra perna. Mantenha a perna que fica no chão flexionada o tempo todo.

Exercício 28 – Espernear com uma perna

Como no exercício anterior, comece da mesma posição descontraída e estenda a perna para a frente, longe do chão. Esperneie um pouco com o calcanhar, mantendo fletido o joelho da perna de apoio. Repita, trocando de perna.

• • •

Agora vamos descrever alguns exercícios que necessitam de uma pequena explicação, a fim de mostrar a variação de movimentos que tornam mãos e pés mais cheios de vida. Antes de continuarmos, é preciso enfatizar que os exercícios não devem ser feitos apressadamente nem levados até o nível de um cansaço insuportável. Ademais, é preciso que haja um intervalo suficiente entre um exercício e outro para que a pessoa sinta o que está acontecendo com seu corpo. Seguindo a filosofia bioenergética, *fazer* é menos importante que *sentir*. Muitas pessoas fazem exercícios mecanicamente, como uma aula de ginástica, a fim de não sentir. Isso anula nosso objetivo de obter vitalidade.

Exercício 29 – Para a sola dos pés

A maioria das pessoas de nossa cultura pode ser descrita como "pés frágeis". Ao contrário dos homens primitivos, que andavam descalços, a sola de nossos pés é muito sensível. Em parte, isso é devido ao fato de serem protegidos por sapatos. No entanto, a causa principal é a espasticidade dos músculos das solas. Nossos arcos são muito achatados ou muito altos. Para aliviar essa tensão, recomendamos ficar em pé sobre um bastão de madeira de 2 cm de diâmetro. Na ausência de um bastão, o cabo de uma raquete de tênis também serve.

Coloque o bastão no chão e ponha um pé sobre ele. Deixe o peso do corpo descansar nesse pé, até onde aguentar. Movimente o pé sobre o bastão, expondo a pressão em diferentes partes da sola. Assegure-se de estar respirando durante o exercício.

Repita o exercício com o outro pé, colocando o bastão sob diferentes regiões da sola.

A maioria das pessoas sente dor ao fazer este exercício, devido à pressão no músculo tenso. Se você ficar com a dor, o músculo relaxa e a dor diminui. Com uma prática contínua, você perceberá que a dor diminuirá bastante. Não é masoquismo submeter-se à dor com o objetivo de melhorar a saúde, ter um corpo mais ativo ou um pé mais relaxado. Isso é realidade. Masoquismo existe quando a submissão à dor não leva a nada.[9]

Exercício 29A – Variação

Um simples exercício de elevação também é recomendado. Fique em pé na posição relaxada, peso para a frente sobre a planta dos pés, joelhos flexionados. Mantendo-os assim, levante vagarosamente os calcanhares do chão e depois abaixe-os para tocar o solo. Repita algumas vezes o procedimento. Você conseguiu sentir os músculos das solas dos pés trabalhando para erguê-lo?

Este exercício é especialmente benéfico para quem tem pés chatos.

Exercício 30 – Saltos de cócoras

Partindo da posição de cócoras descrita no Exercício 20, salte para cima e para baixo, sem esforço excessivo, usando mais a planta dos pés.

Este exercício o ajudará a sentir a pressão ativa dos seus pés contra o chão.

Exercício 31 – Coice de mula

Este é um bom exercício para soltar a articulação do quadril e alongar os músculos posteriores das pernas. Coloque-se na posição sobre os cotovelos e joelhos (Figura 30). Erga a perna esquerda e dobre o joelho esquerdo de modo que a perna fique perto do corpo. Impulsione o calcanhar para trás usando toda a força do quadril que puder. Execute os "coices" o mais reto e paralelo ao chão possível com a perna esquerda e depois repita com a direita.

» Você seguiu junto com o movimento do coice ou no fim se segurou no joelho?

- » Conseguiu sentir o começo do coice desde o quadril? Sentiu a força nessa região?
- » Conseguiu relaxar a metade superior do corpo?

FIGURA 30 – Coice de mula

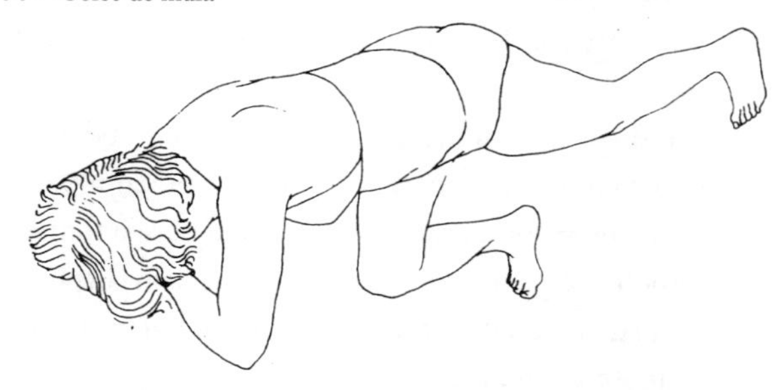

Exercício 32 – Alongamento dos tendões posteriores das pernas

Até este momento, os tendões posteriores de suas coxas e joelhos devem estar muito contraídos. Aqui está um exercício para alongá-los.

Com os pés paralelos, afastados aproximadamente 30 cm, incline-se para a frente flexionando os joelhos até que a ponta dos dedos toque o chão. Essa posição é idêntica à do Exercício 4 (veja as p. 27-28).

Movimente as mãos para a frente até que os calcanhares saiam do chão.

Agora estenda os joelhos para que os calcanhares pressionem o solo.

Mantenha a posição por alguns instantes e então solte os joelhos e recomece o alongamento.

Exercício 33 – O passeio do urso

Este é um excelente exercício para alongar os tendões posteriores, que são muito contraídos na maioria das pessoas. Fique de quatro com as mãos e os pés totalmente plantados no chão. Ande pela sala nessa posição.

Se você entender os princípios da bioenergética, pode improvisar muitos exercícios em pé com o objetivo de entrar mais em contato com seu corpo, aliviando suas tensões. O importante é saber que está trabalhando para atingir um nível mais intenso de sensibilidade.

TRABALHO COM QUADRIS E PELVE

É um pré-requisito para aliviar as tensões nos quadris e pelve que o indivíduo tenha um *grounding* que lhe permita sentir os pés solidamente no chão. A pelve não se move naturalmente – isto é, livre e espontaneamente – a menos que esteja suspensa entre a cabeça e os pés. Esse é o princípio do arco. As cordas do violino ou do violão devem estar firmemente presas nas duas extremidades para que possam vibrar ritmicamente e produzir sons. O mesmo acontece com o arco. Quando a corda é esticada, o arco se arma e tudo de que se precisa para projetar a flecha é soltá-la. A flecha voará devido à tensão imposta ao arco.

Esse princípio se aplica ao movimento da pelve. Se os pés estão completamente em contato com o chão, é necessário apenas puxar a pelve para trás a fim de criar a força que espontaneamente a moverá para a frente. A energia para essa força é produzida pelos processos metabólicos do corpo em conexão com a respiração. Portanto, qualquer tensão no corpo que restrinja a respiração e o *grounding* limita a motilidade pélvica.

Quando a pelve é levada para trás, fica na posição de carga se o corpo todo estiver devidamente equilibrado na parte anterior dos pés, como na posição básica de orientação. Levada para a frente, a pelve já está descarregada. Ela não pode mover-se espontaneamente para a frente, tem de ser empurrada. Empurrar é um movimento em que os músculos se contraem, reduzindo o fluxo de excitação e prazer. Isso deve ser evitado neste exercício tanto quanto na relação sexual.

As tensões pélvicas limitam as sensações sexuais. Será difícil, talvez impossível, liberar a pelve se o indivíduo for inibido em relação às sensações sexuais. Estes exercícios não criam necessariamente a sensação sexual, mas podem conscientizar a pessoa dela, caso esteja presente. Contudo, sensação sexual não é o mesmo que excitação genital. Esta é um foco de sensações sexuais no aparato genital, o que não acontece com estes exercícios.

Os próximos exercícios visam ajudá-lo a sentir quaisquer tensões na área pélvica. Ao fazê-los, algumas delas serão aliviadas. Na maioria das pessoas, essas tensões são muito fortes, e usamos diversos outros exercícios para liberá-las. Qualquer exercício, feito em pé ou deitado, que mobilize a parte inferior do corpo afetará a pelve. Espernear é um deles. Além desses, existem os exercícios especificamente sexuais, que serão descritos mais adiante.

Exercício 34 – Movimento pélvico de lado a lado

Fique em pé, com os pés afastados aproximadamente 30 cm. Flexione os joelhos até a metade.

Desloque o peso para o pé esquerdo, sem tirar o direito do chão, e balance a pelve para o lado esquerdo, pressionando o chão com o pé esquerdo. A parte superior do corpo permanece relativamente ereta e inativa.

Lentamente, desloque o peso para o pé direito e balance a pelve para o lado direito, pressionando o chão com o pé direito.

Repita o exercício para o lado direito e para o esquerdo algumas vezes, lentamente, deixando a pelve balançar de acordo com a pressão de cada pé.

» Você se permite respirar com o abdome?
» Sente o movimento da pelve vindo de baixo enquanto pressiona o chão com um pé de cada vez?
» Sente alguma tensão na parte inferior das costas?
» Conseguiu manter o peso do corpo à frente enquanto balançava de um lado para o outro?

Exercício 35 – Movimento pélvico circular

Este exercício é muito similar aos movimentos de quadris da *hula*, dança típica havaiana. A posição é a mesma do Exercício 34.

Desloque o peso para o pé esquerdo e o pressione para baixo, deixando a pelve mover-se para a esquerda. Deixe que o seu peso volte para a planta de ambos os pés e, enquanto isso, balance a pelve para a frente. Desloque-se para o pé direito e, pressionando o chão com esse pé, balance a pelve para a direita.

Deixe seu peso voltar para os pés; mantenha-se para a frente sobre a planta dos pés e balance a pelve para trás.

Faca este exercício como um movimento contínuo, várias vezes. Depois, repita-o, invertendo a direção, de modo que a pelve se mova na direção anti-horária.

» Você está respirando com o abdome? Se empurrar a pelve para a frente, contrairá os músculos abdominais e bloqueará a respiração abdominal.
» Consegue sentir o peso do seu corpo deslocando-se sobre os pés enquanto a pelve balança fazendo um círculo? Conseguiu manter os joelhos flexionados e soltos ou eles ficaram esticados? É importante ficar "bem embaixo".

» A metade superior do seu corpo estava razoavelmente ereta e inativa durante o movimento? Isso indica que você conseguiu dirigir suas energias adequadamente.

Exercício 36 – Movimento pélvico para a frente e para trás

Este exercício é executado a partir da mesma posição adotada no Exercício 34. Mantenha o peso do corpo sobre a planta dos pés.

Puxe a pelve para trás, arqueando a parte inferior das costas, mas lembre-se de manter seu peso para a frente. Isso evitará uma curva exagerada do arco nas costas, que poderia ocasionar hiperlordose (concavidade exagerada na região lombar).

Deixe a pelve balançar para a frente, colocando pressão na planta dos pés, e expire.

Exercício 37 – "Arrebitar" a pelve

Este exercício objetiva fazê-lo sentir a força presente no arremesso quando a pelve é puxada para trás. Ele também é feito a partir da mesma posição dos anteriores.

Ponha o pé direito à frente com seu peso sobre ele e flexione os joelhos. Isso fará que o seu calcanhar esquerdo levante do chão.

Incline o tronco para a frente e para baixo, estendendo o braço direito e puxando o esquerdo para trás.

Arrebite as nádegas e desloque o peso para a planta do pé direito. Você agora está inclinado para a frente, numa posição agressiva.

Tente o mesmo exercício com a perna esquerda à frente. A maioria das pessoas acha mais fácil fazer com o pé esquerdo à frente porque tendemos a usá-lo para começar a andar.

» Você sentiu alguma tensão no joelho direito quando esse pé estava à frente? Ou na linha da cintura?
» Conseguiu perceber como a sensação de agressão aumentou quando você arrebitou as nádegas?
» Agressão, em bioenergética, tem o significado positivo de "mover-se em direção a".

Puxe a pelve para trás na inspiração e depois deixe que ela novamente balance para a frente na expiração. Mantenha suavemente o movimento de ir e vir enquanto inspira e expira.

» Você conseguiu coordenar a respiração com o balanço pélvico?
» Teve de forçar a pelve para a frente empurrando-a pelas nádegas ou puxando-a pela frente? No primeiro caso, você precisou tensionar os glúteos; no segundo, contraiu os músculos abdominais.
» Conseguiu manter o peso do corpo todo o tempo sobre a planta dos pés?

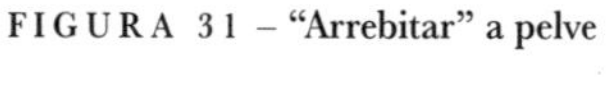

FIGURA 31 – "Arrebitar" a pelve

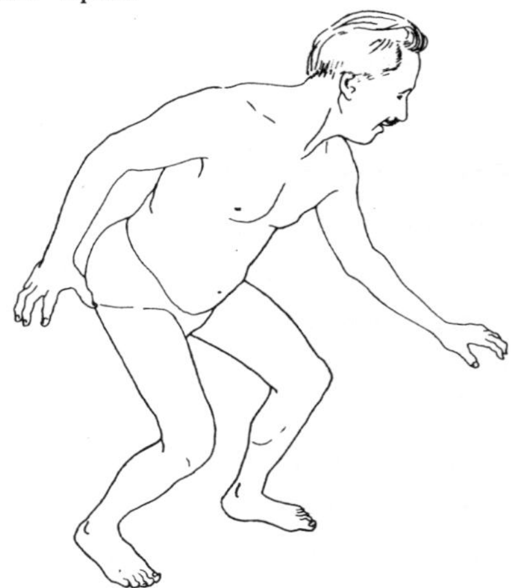

Exercício 38 – "Rabinho de pato"

Este exercício é mais difícil na medida em que depende de quadris e pelve soltos. Comece da mesma posição do exercício anterior, porém flexione totalmente os joelhos, mantendo os pés bem plantados no chão.

Desloque o peso para a frente dos pés, sem levantar os calcanhares.

Incline-se para a frente e arrebite as nádegas para trás.

Mova os glúteos de um lado para o outro sem balançar as pernas e o tronco. O peso deve manter-se uniformemente distribuído sobre ambos os pés.

» Você conseguiu mover as nádegas livremente?
» Manteve seu peso para a frente?
» Conseguiu respirar com facilidade durante o exercício?

FIGURA 32 – Rabinho de pato

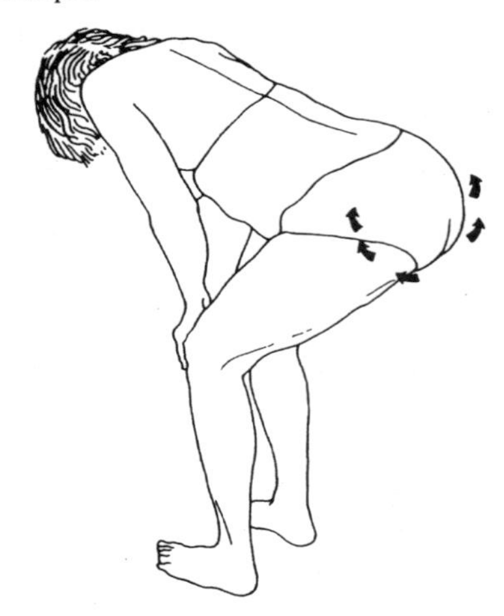

TRABALHANDO COM BRAÇOS E OMBROS

Para liberar braços e ombros, precisamos praticar com regularidade exercícios expressivos, tais como bater, torcer a toalha e outros. Eles serão descritos mais adiante e podem ser incluídos nos exercícios grupais, se for adequado. Os que se seguem demandam movimentos mais generalizados.

Exercício 39 – Balançar cada braço

Comece o exercício partindo da posição básica de orientação do Exercício 13. O peso do corpo deve estar para a frente, os joelhos, ligeiramente flexionados e o abdome, solto.

Alongue totalmente o braço esquerdo para trás e para cima, inclinando-se levemente para a frente.

Enquanto o braço esquerdo vai para trás, o direito estende-se reto para baixo e um pouco à frente.

Desenhe lentamente um círculo, com o braço esquerdo para cima, para a frente e para baixo, mantendo o braço o mais alongado possível, para integrar o ombro ao movimento.

Faça o mesmo com o braço direito, alongando-o totalmente para trás, enquanto o esquerdo permanece estendido para baixo.

Repita com o esquerdo e o direito algumas vezes.

O exercício também pode ser feito começando o movimento de círculo pela frente e indo para trás.

FIGURA 33 – Alongamento do braço

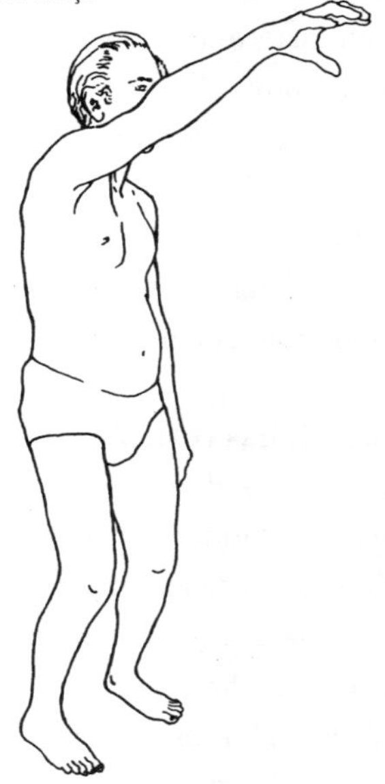

» Você sentiu o ombro todo mover-se enquanto fazia o exercício?
» Sentiu alguma tensão nas articulações dos ombros? E nas laterais do corpo?
» Conseguiu respirar enquanto executava o movimento?

Exercício 40 – Balanço dos dois braços

Partindo da mesma posição do exercício anterior, estenda os braços na lateral. Balance-os para a frente e para trás, passando pelos lados do corpo.

Expire de forma audível quando os braços estiverem na frente e embaixo.

Inspire quando os braços estiverem nos lados, preparados para o próximo balanço.

Continue os balanços, movendo-se e respirando cada vez mais rápido.

Exercício 41 – Voar como um pássaro

Este exercício é similar ao anterior, porém o movimento fica no plano do corpo, mantendo-se os braços estendidos nas laterais.

Estenda os braços para os lados e abane-os para cima e para baixo.

Incline-se para a frente e mova os braços cada vez mais depressa, até se sentir como uma ave levantando voo. Deixe os braços caírem ao longo do corpo e descanse.

Exercício 42 – Rotação de ombros

Novamente partindo da mesma posição, com os braços soltos pendendo ao longo do corpo, levante os ombros.

Agora, movimente-os para a frente, para baixo e para trás, fazendo alguns círculos.

Repita no sentido inverso.

Os exercícios de ombros também podem ser executados com a pessoa sentada e serão apresentados mais adiante.

Exercício 43 – "Saia das minhas costas"

Este é um exercício expressivo, usado em geral nos trabalhos em grupo. A maioria das pessoas sente uma considerável satisfação executando-o. Inicia-se a partir da mesma posição dos exercícios anteriores.

Dobre os cotovelos e suspenda-os até a altura dos ombros. Isso servirá para estender a parte superior dos braços.

Empurre energicamente ambos os cotovelos para trás e diga: "Saia das minhas costas".

Repita o exercício algumas vezes, expressando oralmente um sentimento de raiva.

Você sentiu que este exercício endireitou suas costas? Notou se estava um pouco curvado para a frente, como se estivesse carregando alguém nas costas? A maioria das pessoas experimenta um grande prazer, o que significa que sente um peso nessa região.

Exercício 44 – Socar para a frente

É similar ao exercício anterior. Flexione os cotovelos e levante-os ao nível dos ombros.

Feche as mãos para dar um soco, com os polegares para fora.

Jogue os dois punhos energicamente para a frente e diga: "Cai fora!"

Repita-o algumas vezes.

Exercício 45 – Empurrar os punhos para baixo

Traga os punhos o mais próximo possível das axilas.

Empurre-os para baixo, ao longo do corpo, soltando um grunhido.

Levante-os novamente e repita várias vezes.

» Você sentiu uma onda atravessando seu corpo enquanto seus punhos desciam?
» Ficou de joelhos fletidos? O movimento pareceu dirigir seus pés chão adentro?
» Sentiu alguma vibração na cabeça?

Exercício 46 – Balanço dos punhos

Assuma a mesma posição do exercício anterior.

Erga os punhos até que eles fiquem em frente ao seu rosto.

Agite-os com força e diga "não" veementemente, várias vezes.

Deixe sua voz sair alta e clara.

» Você sentiu uma expressão de raiva ou de medo no rosto enquanto fazia o exercício?
» Sua voz estava forte e assertiva?
» Conseguiu manter uma postura para a frente ou inclinou-se para trás?

TRABALHO COM A CABEÇA E O PESCOÇO

Estes exercícios têm como objetivo soltar as tensões do pescoço e liberar a cabeça. Se esta estiver muito rigidamente presa ao pescoço, você deverá sentir um pouco de tontura durante a prática. Se isso acontecer, pare e espere um pouco. Fechar os olhos durante o exercício pode prevenir a tontura, pois elimina-se o campo móvel da visão.

Exercício 47 – Alongamento do pescoço

Coloque as mãos atrás da cabeça, entrelaçando os dedos.

Pressione-a para baixo com as mãos, deixando-a ceder totalmente à pressão.

Mantenha os joelhos levemente flexionados e as costas eretas, mas não rígidas. O seu peso deve estar para a frente. Respire profundamente.[10]

» Conseguiu sentir o alongamento do pescoço? Sentiu alguma dor na parte de baixo das costas ou nos ombros?
» Em pé, você se sentiu mais ereto depois que terminou o exercício?

FIGURA 34 – Exercício de pescoço (em pé)

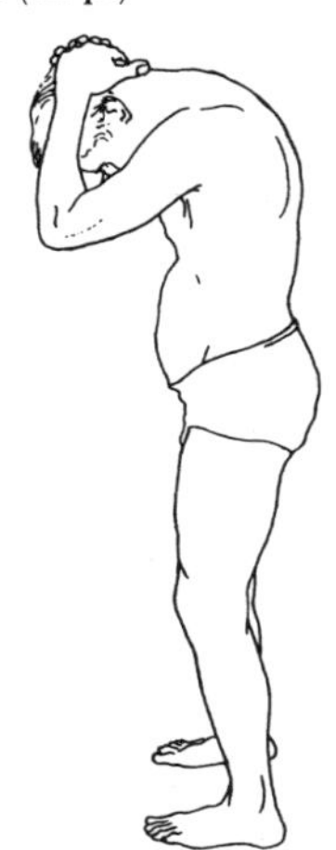

Exercício 48 – Massagem no pescoço

Com as mãos na mesma posição que no exercício anterior, use os polegares para sentir e massagear os músculos que ligam a cabeça ao pescoço. Sua cabeça deve estar inclinada para a frente.

» Você sentiu a tensão desses músculos?

Exercício 49 – Arremesso para a frente

Erga a cabeça, leve-a para trás e, depois, deixe-a cair para a frente, soltando um grunhido. No começo faça devagar, até se sentir completamente à vontade com o exercício.

Exercício 50 – Rotação da cabeça

Deixe a cabeça cair suavemente para a frente e então a gire, formando um círculo, da esquerda para a direita. Respire lenta e tranquilamente conforme for fazendo o movimento. Mantenha os olhos abertos, focalizando os diversos objetos que passam por sua linha de visão. Pisque várias vezes. Faça isso pelo menos três vezes e depois repita na outra direção.

Deixe os ombros o mais para baixo possível.

Se sentir tontura, pare o movimento e incline-se para a frente como no exercício de *grounding*, deixando os pés e a ponta dos artelhos em contato com o chão.

Este exercício também pode ser feito sentado, o que dá mais segurança.

» Você respirou com facilidade?
» Ouviu estalos no pescoço? Não se preocupe; eles são causados pela pressão entre as superfícies articulares das vértebras do pescoço, que então se desmancha.

EXERCÍCIOS PARA FAZER SENTADO

A posição sentada é muito útil para os exercícios que envolvem a metade superior do corpo. No entanto, eles só funcionarão se você se sentar corretamente: costas retas, pernas cruzadas, abdome solto e *grounding* por meio dos ísquios, como mostra a Figura 35. Nessa posição, você deve senti-los pressionando firmemente o chão, com o peso do corpo levado para a frente. Sentar com o cóccix, como muita gente faz, resulta num colapso da coluna, pois força a pelve para a frente e leva à contração do abdome. Isso impede a respiração abdominal e bloqueia o fluxo de sensações que estes exercícios podem produzir.

A posição sentada garante mais segurança que a em pé, permitindo, dessa forma, que a pessoa "deixe-se ir" mais facilmente. É, portanto, a posição escolhida para os exercícios que envolvem a musculatura do pescoço. Além disso, é excelente para os exercícios de olhos, que também serão descritos nesta seção.

Exercício 51 – *Grounding* com a pessoa sentada

Esta é a posição básica a partir da qual serão feitos todos os exercícios em que se fica sentado. Sente-se com as pernas cruzadas sobre um tapete ou cobertor dobrado. Incline-se para a frente, arqueando as costas até sentir as nádegas pressionando o chão. Deixe o abdome solto. Os braços devem descansar confortavelmente sobre os joelhos ou coxas. Mantenha a cabeça erguida e solta. Respire tranquila e profundamente, por um ou dois minutos, e tente sentir os movimentos respiratórios no abdome e nos glúteos.

» Você conseguiu ficar na posição correta? Seu peito estava solto, movendo-se suavemente a cada respiração? Sentiu os movimentos respiratórios no abdome?
» Você percebeu se o seu ânus estava contraído ou descontraído? Conseguiu soltá-lo, descontraí-lo? Sentiu algum tipo de ansiedade ao fazer isso?

» Sentiu alguma tensão nas costas ou pernas? Quanto tempo conseguiu se manter confortavelmente nessa posição?

FIGURA 35 – **Posição da pessoa sentada**

Mabel E. Todd comenta sobre essa posição: "Se o peso do corpo estiver equilibrado sobre os ísquios [veja a Figura 35] e não houver tração para a frente pelos músculos das pernas, os planos de força que atuam sobre a base do arco pélvico serão idênticos àqueles da posição de equilíbrio em pé".[11] Na medida em que o corpo em pé está equilibrado sobre a planta dos pés, referimo-nos aos ísquios como a parte da frente das nádegas.

Estar adequadamente equilibrado é o primeiro passo para estar firme no chão (*grounded*). O próximo passo é respirar livre e profundamente.

É interessante notar também que essa posição é similar à posição de lótus usada na ioga e na meditação zen.

Exercício 52 – Relaxamento dos músculos da cintura

A cintura, assim como o pescoço, serve para conectar dois grandes segmentos do corpo, de maneira que cada um possa girar, até certo ponto, independentemente do outro. Portanto, a cabeça pode girar para a esquerda ou para a direita devido à flexibilidade do pescoço. Se este se torna muito rígido, o movimento é obstruído. Da mesma maneira, o torso pode girar para os dois lados porque a cintura é flexível. A rigidez não só restringe o movimento como interfere no fluxo que existe entre os segmentos conectados, ocasionando um decréscimo da sensação de ser unificado ou integrado.

Após sentar-se com as pernas cruzadas, coloque a mão direita no joelho esquerdo.

Gire o corpo para a esquerda, de maneira que você possa olhar por cima do ombro esquerdo.

Mantenha a posição, respirando profundamente, e então, devagar, volte-se para a frente.

Coloque a mão esquerda no joelho direito, gire para a direita e olhe sobre o ombro direito. Mantenha a posição por alguns momentos, respirando fundo. Lentamente, retorne à posição inicial.

» Você sentiu alguma tensão nos ombros, cintura, costas ou quadris?
» Foi difícil respirar com o abdome?

FIGURA 36 – Torção de cintura

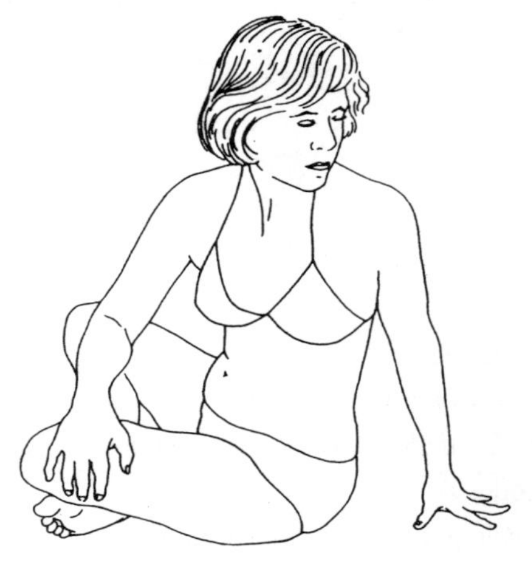

Exercício 53 – Alongamento do braço

Sente-se com as costas eretas e, mantendo os ombros baixos, alongue os braços para os lados.

Levante as mãos com as palmas voltadas para fora. Empurre para fora com a parte inferior da palma da mão para alongar os músculos dos braços.

Não trave os cotovelos.

Exercício 54 – Carga energética nas mãos

Este exercício é um dos mais representativos da abordagem bioenergética, pois costuma produzir sensações intensas e pouco comuns nas mãos. Parte-se da mesma posição do exercício anterior.

Junte a ponta dos dedos. Separe-os e pressione-os uns contra os outros, mantendo as palmas das mãos separadas.

Volte as mãos para dentro, de maneira que apontem para o seu peito.

Mantendo os dedos pressionados uns contra os outros e as palmas das mãos separadas, mova-as para fora o quanto for possível.

FIGURA 37 – Alongamento de mãos (carga energética nas mãos)

Respire profundamente durante um minuto antes de relaxar as mãos.

Relaxe soltando as mãos sobre o colo, os dedos levemente estendidos, e olhe para a ponta dos dedos durante 30 segundos. Deixe os ombros baixos e continue respirando.

Em seguida, coloque as mãos em forma de concha, sem tensioná-las, e mova-as lentamente uma em direção à outra, até ficarem separadas 4 cm.

- » Você sentiu que havia algo entre as mãos quando as aproximou?
- » Quando suas mãos estavam relaxadas sobre o colo, sentiu algum formigamento nos dedos?
- » Sentiu algum tipo de contração nos músculos peitorais enquanto fazia o exercício?

Este exercício permite que experimentemos a carga energética nas mãos. Quando ela é forte, irradia das mãos e dos dedos, criando à sua volta um campo energético. Como as mãos, ao se aproximarem, estão carregadas, as pessoas geralmente sentem que existe alguma substância entre elas. Acredito que essa "substância" seja o campo energético que se forma entre as mãos, o qual pode ser demonstrado pela fotografia Kirlian.[12]

Exercício 55 – Sacudir as mãos até soltá-las

Braços inteiramente alongados; mãos penduradas, descontraídas.

Balance as mãos vigorosamente para soltá-las.

Gire-as lentamente em círculos, primeiro para dentro e depois para fora, várias vezes.

Exercício 56 – Alongamento dos dedos

Coloque as mãos espalmadas no chão, ao lado do corpo, e os dedos afastados.

Incline-se para a frente e alongue as mãos entre o dedo mínimo e o polegar.

Repita o alongamento colocando a pressão no quarto dedo e no polegar.

Faça o mesmo com o dedo médio. Repita com o indicador e o polegar.

Exercício 57 – Exercício para os punhos

Com as mãos espalmadas no chão voltadas para a frente, incline-se adiante até que a base da palma esteja ligeiramente erguida.

Balance para trás e para a frente, pressionando as mãos para baixo.

Coloque as costas das mãos no chão e balance para a frente e para trás a fim de alongar os punhos.

Exercício 58 – Movimentos para soltar os ombros

Estando a pessoa sentada e relaxada, muitos exercícios podem ser feitos para soltar os ombros.

a) *Encolher os ombros*: com os braços soltos ao longo do corpo, suspenda lentamente os ombros e deixe-os cair como se quisesse se livrar das preocupações do dia. Repita o movimento várias vezes, inspirando quando erguer os ombros e expirando quando os deixar cair.
b) *Rotação dos ombros*: com os braços estendidos ao longo do corpo, gire os ombros suspendendo-os na direção das orelhas, depois para a frente,

para baixo e para trás. Repita este exercício várias vezes. Inspire quando os levar para cima e para trás e expire quando estiverem para a frente e para baixo. Agora, inverta a direção, trazendo os ombros primeiro para trás e para cima e depois para a frente e para baixo. Mantenha o mesmo padrão de respiração. Os movimentos para baixo e para a frente devem coincidir com uma queda do peito, não das costas.

c) *Alcançando*: muitos de nós estendem-se para a frente a fim de alcançar com os braços e as mãos, não com os ombros. Este exercício vai ajudá-lo a perceber a diferença. Primeiro, faça o gesto de estender-se para alcançar com os braços e as mãos. Agora, lentamente, amplie o gesto levando os ombros para a frente, enquanto deixa o ar sair. Quando a expiração estiver completa, traga devagar os ombros para trás enquanto inspira; agora, lentamente, repita o gesto de estender-se para a frente a fim de alcançar com mãos, braços e ombros enquanto expira. Faça várias vezes este exercício.

   Você consegue sentir seu peito ficar mais suave enquanto faz o gesto? Consegue sentir que o movimento de se estender para alcançar parece vir do coração?

d) *Estender os ombros*: alongue os braços para os lados. Levante os dedos e empurre com a base da palma das mãos para aumentar o alongamento de braços e ombros. Mantenha a posição durante algumas respirações e depois deixe os braços caírem lentamente ao longo do corpo. Tente manter os ombros baixos enquanto faz o exercício. Repita-o duas ou três vezes.

Exercício 59 – Exercício para soltar o pescoço

Agora é um bom momento para soltar os músculos do pescoço. Os exercícios da seção anterior, "Trabalho com a cabeça e o pescoço", podem ser usados, bem como os próximos.

Incline a cabeça para a frente e para trás.

Gire a cabeça no sentido horário e anti-horário. Incline a cabeça para os lados. Ela deverá ser inclinada primeiro para a direita, e a face voltada para cima; depois, para a esquerda e a face, novamente, voltada para cima. Repita várias vezes.

Exercício 60 – Alongamento dos músculos do pescoço

Este exercício é similar ao da seção anterior, "Trabalho com a cabeça e o pescoço", mas aqui é feito com a pessoa sentada.

Coloque as mãos atrás da cabeça e cruze os dedos. Puxe a cabeça para baixo, aumentando gradualmente a pressão.

Incline-se para a frente e continue exercendo a pressão para sentir o alongamento atingindo as costas. Volte à posição original, mas mantenha as mãos na cabeça.

Coloque os polegares sobre os músculos da nuca e lentamente massageie--os, trabalhando da raiz do pescoço à base do crânio; massageie também ao longo da base do crânio.

- » Você conseguiu sentir a tensão dos músculos do pescoço? Na maioria das pessoas, esses músculos são como anéis de tensão ao longo dos processos espinais das vértebras.
- » Conseguiu sentir a tensão dos músculos da base do crânio? Essa tensão é uma causa comum de dores de cabeça.

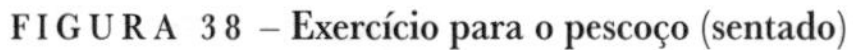
FIGURA 38 – Exercício para o pescoço (sentado)

Exercício 61 – Exercícios para os olhos

Os músculos dos olhos, como quaisquer outros, estão sujeitos à tensão. Relaxá--los ajuda a manter os olhos descontraídos.

Dois exercícios diferentes são usados com esse objetivo: um envolve o contato ocular com outra pessoa do grupo e o outro implica movimentos dos olhos. É importante não deixar que seu olhar se torne fixo ou rígido. Não paralise o olhar; isso congela os olhos e evita o contato, as sensações e os sentimentos.

Permita-se piscar durante o exercício e mantenha os olhos em movimento. Aprenda a lançar os olhos e captar o que vê sem paralisar o olhar.

a) Se o exercício for feito com um grupo sentado no chão, em círculo, deve-se olhar para cada participante por um momento. Quando os olhos se tocam, sente-se um *flash* rápido de reconhecimento. Você sentiu o contato entre seus olhos e os das outras pessoas? Sentiu um rápido *flash* de reconhecimento? Você lançou os olhos ou paralisou o olhar? Você piscou?
b) Sem mexer a cabeça, olhe o máximo possível para a direita. Pisque e depois lance o olhar para cima e para baixo. Em seguida, olhe para a esquerda, pisque e novamente lance os olhos para cima e para baixo. Repita o exercício duas vezes e fique atento a qualquer tendência a "congelar" os olhos. Você estava respirando durante o exercício? Achou difícil piscar ou mexer os olhos?
c) Sem mexer a cabeça, gire os olhos movendo-os primeiro para a direita, depois para cima, para a esquerda e para baixo. Faça lentamente vários círculos com os olhos. Repita o exercício na direção oposta. Você prendeu a respiração durante o exercício? Esqueceu-se de piscar? Este exercício lhe deu tontura? Provocou-lhe uma leve dor de cabeça? Você sentiu tensão nos músculos oculares ou na nuca, na base do crânio?

Exercício 62 – Exercícios faciais

Estes exercícios visam soltar os músculos da face e, desse modo, remover a máscara que, inconscientemente, muitas pessoas usam. Ou seja, o objetivo é restituir à face toda a sua capacidade de expressão.

a) Projete o queixo para a frente, mostre os dentes, faça uma expressão de raiva. Enquanto isso, libere sons.
b) Com o queixo projetado para a frente, mova-o para cima e para baixo, vigorosamente, muitas vezes. Novamente, faça um som com o movimento.
c) Ainda com o queixo na mesma posição, mova-o para a esquerda e para a direita lentamente, até onde conseguir.
d) Coloque a ponta da língua para fora e emita um som apropriado para expressar o seu desprezo por outra pessoa. Faça isso várias vezes.
e) Enrugue o nariz para cima e para baixo várias vezes.
f) Levante e abaixe as sobrancelhas.
g) Queixo retraído e solto; estique os lábios para a frente como um bebê faria em direção ao peito. Sua boca deve estar aberta. Faça algumas vezes, lentamente.

- » Você prendeu a respiração durante os exercícios?
- » Sentiu alguma vibração nos lábios ou no maxilar? Essas são reações positivas aos exercícios.
- » Sentiu algum formigamento no rosto? Em geral a sensação aparece primeiro na boca.
- » Seu rosto parece mais solto? Um dos resultados destes exercícios é uma pele mais saudável e viva.

FIGURA 39 – Exercitando os lábios

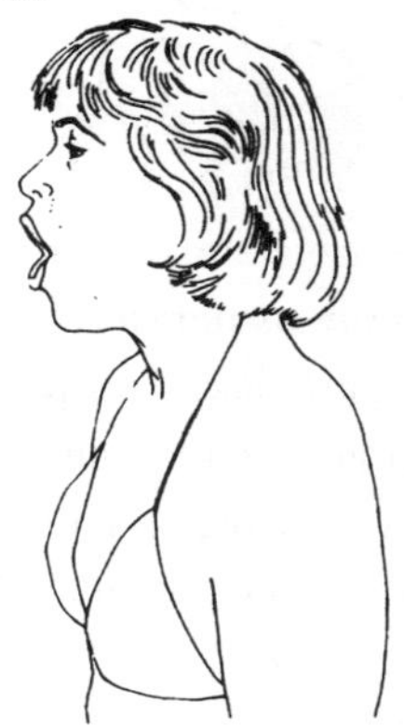

EXERCÍCIOS PARA FAZER DEITADO

A postura deitada é importante durante os exercícios porque assim se elimina a pressão da gravidade. Além disso, essa posição tem um aspecto regressivo, que sugere a volta a uma atitude corporal infantil – a qual facilita o "abandono" do controle.

A posição básica é deitar-se de costas, com os braços ao longo do corpo e os joelhos flexionados, de modo que os pés fiquem bem apoiados no chão, 20 cm separados. O chão deve estar coberto por um tapete grosso ou um colchonete de espuma. Deixe a cabeça voltada para trás o máximo possível, de forma que você não fique observando a si mesmo.

Exercício 63 – Respiração básica

Solte o abdome pelo maior tempo possível e respire por ele.

Coloque as mãos suavemente sobre o abdome e sinta o movimento de subir e descer das paredes do abdome enquanto inspira e expira.

Faça este exercício por um minuto, mas não force a respiração.

Seu abdome se moveu para cima com a inspiração e para baixo com a expiração? Se isso não aconteceu, você não fez uma respiração abdominal.

Sentiu alguma tensão na garganta, no peito ou no diafragma?

Suas pernas vibraram? Isso pode acontecer ao fazer este exercício ao final de uma série. Assim, as pernas ficarão bastante carregadas.

FIGURA 40 – Respiração básica

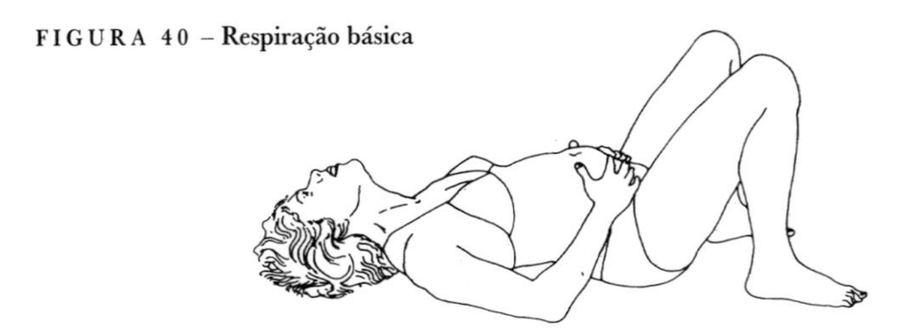

Exercício 64 – Vibrações com as pernas

Este é um exercício simples para fazer suas pernas vibrarem. A vibração é induzida por meio do alongamento e relaxamento dos tendões dos músculos.

Deite-se de costas e levante as pernas na vertical, sem travar os joelhos.

Mantenha os joelhos levemente dobrados, flexione os tornozelos e empurre para cima com os calcanhares.

Se necessário, dobre e estire os joelhos, sem travá-los, para obter as vibrações.

Respire tranquilamente e deixe as pernas vibrarem por cerca de um minuto. Veja a Figura 41.

FIGURA 41 – Vibração das pernas. Veja a Figura 10

Exercício 64A – Variação

Siga as mesmas instruções dadas no exercício anterior, mas segure os dedos de cada pé com a respectiva mão.

Exercício 65 – Soltar os tornozelos

Com as pernas erguidas, como no exercício anterior, flexione e estenda os pés várias vezes.

Gire os pés num movimento circular, traga-os um na direção do outro para iniciar a rotação e faça vários círculos.

Agora inverta a direção do movimento e faça vários círculos.

Apoie bem a sola dos pés no chão. Estenda uma perna. Balance vigorosamente o tornozelo. Repita com a outra perna.

Exercício 66 – Fazendo um arco com as costas

Coloque um cobertor enrolado sob a linha da cintura; deite-se com os joelhos flexionados e as solas do pé bem plantadas no chão. Procure manter os glúteos em contato com o solo.

Respire profundamente até o abdome.

Deixe a cabeça cair para trás.

Mantenha a posição até que ela se torne dolorosa.

FIGURA 42 – Deitado sobre o cobertor enrolado

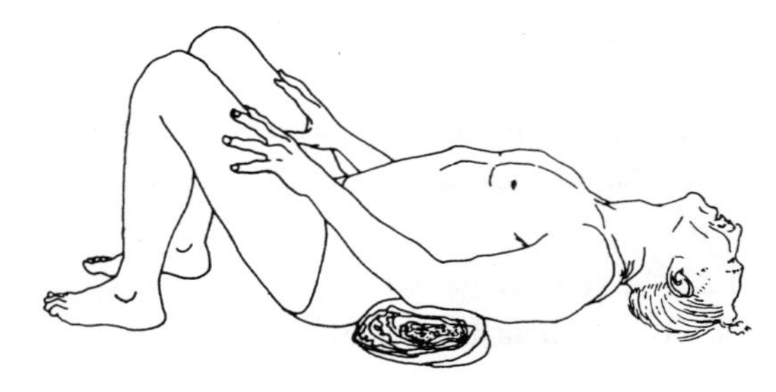

» Você sentiu, no começo do exercício, alguma dor na parte inferior das costas? Se sim, é sinal de tensão nessa área, o que é muito comum na maioria das pessoas.
» Conseguiu manter os glúteos no chão? Se a região inferior das costas estiver tensa e rígida, você não conseguirá fazê-lo.
» Conseguiu relaxar com a dor? Se sim, perceberá que ela vai diminuir.

Exercício 67 – Inversão do arco

Coloque o cobertor enrolado sob os glúteos e traga os joelhos em direção ao peito. Abrace os joelhos e permita que a lombar se curve para a frente.

Perceba que essa posição é muito relaxante após o exercício anterior.

FIGURA 43 – Arco invertido

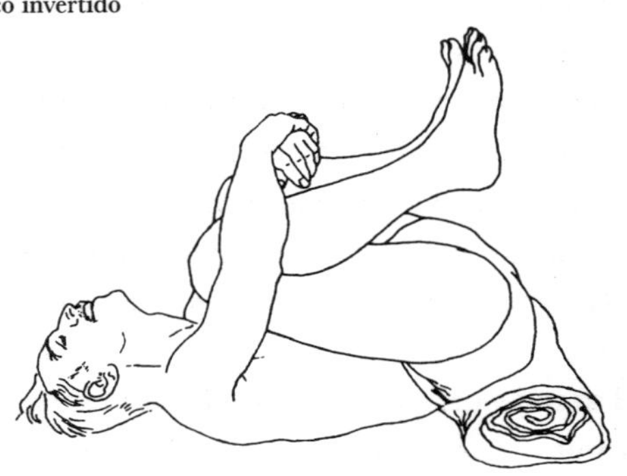

Exercício 68 – Batidas com a pelve

Deite-se com os joelhos flexionados e os pés totalmente apoiados no chão. Coloque um cobertor dobrado sob os glúteos.

Erga a pelve acima do cobertor e solte-a com força suficiente para provocar um leve tremor no corpo.

Faça isso várias vezes para que a pelve se solte por meio desses balanços. Este exercício também pode ser feito usando a voz (veja o próximo capítulo).

Exercício 69 – Alongamento da parte interna das coxas

A posição é a mesma do exercício anterior, com os glúteos apoiados sobre um cobertor enrolado.

Estenda ambas as pernas para os lados, o mais afastadas possível.

Segure o cobertor e empurre os calcanhares para cima.

9. Exercícios expressivos

Estes exercícios servem para ajudar as pessoas a expressar seus sentimentos, enquanto os exercícios-padrão concentram-se no contato com o corpo e no relaxamento de suas tensões, sem liberação emocional concomitante. A inibição da expressão dos sentimentos leva a uma perda destes, o que implica a perda da vitalidade. Os sentimentos são a vida do corpo, assim como os pensamentos são a vida da mente.

As crianças suprimem muitos de seus sentimentos para se adaptar aos padrões familiares. Começam por conter expressões de medo, raiva, tristeza ou alegria, pois pensam que seus pais não conseguem lidar com elas. Em consequência, tornam-se submissas ou rebeldes, e nenhuma dessas atitudes representa a expressão genuína de tais sentimentos. A rebeldia é muitas vezes uma capa que encobre necessidades; a submissão é quase sempre a negação da raiva e do medo.

Os sentimentos surgem como impulsos ou movimentos espontâneos vindos do cerne do indivíduo. Para suprimir um sentimento, deve-se amortecer ou restringir a vitalidade ou a motilidade do corpo. Assim, o esforço para suprimir determinado sentimento implica a diminuição de todos eles. Enquanto houver vida no corpo haverá um potencial para senti-lo.

O trabalho expressivo em terapia ou com exercícios numa aula ou em casa ajuda as pessoas a entrarem em contato com sentimentos suprimidos de sua personalidade. O problema é: elas conseguirão lidar com eles, conforme surgirem, por meio do trabalho corporal? Corre-se aí certo risco, mas há também uma garantia inerente: a maioria das pessoas não permite que apareçam mais sentimentos do que conseguem suportar. Estar em terapia é outra medida de proteção, desde que um terapeuta competente ajude o indivíduo a conter e lidar com sentimentos novos e assustadores e a entender sua origem, prevenindo, assim, uma atuação sobre eles.

A atuação de sentimentos ocorre quando estes surgem em determinado contexto mas são expressos em outro. Por exemplo, se um homem é humilhado por seu superior no trabalho e não pode ou não ousa exprimir seu ressentimento, ele pode chegar em casa e bater nos filhos. Os sentimentos oriundos da infância costumam aparecer como atuações na vida adulta, em detrimento de todas as pessoas envolvidas. A mulher que se ressente da indiferença do pai quando criança pode descontá-la no marido.

Expressar sentimentos num contexto controlado ou numa sessão de exercícios, em geral, descarrega muito da excitação, de modo que eles podem ser mantidos dentro de limites satisfatórios.

Aqui vai um exemplo de como fazer o mesmo em casa. Muitas donas de casa consideram intoleráveis as frustrações e decepções da sua vida diária. Geralmente descontam essa raiva nos filhos, que não são nem os agentes responsáveis nem os objetos ideais de tais sentimentos. As mães que fizeram terapia bioenergética perceberam que ir para o quarto e bater na cama com uma raquete de tênis descarrega a tristeza ou a raiva sem machucar nenhum ser inocente. Uma vez descarregado o sentimento, seu comportamento tornava-se mais razoável; dessa forma, evitam ficar muito tensas por tentar conter a raiva. Essa é uma prática bioenergética padrão. Um dos melhores conselhos que a abordagem oferece é dar uma tremenda surra com uma raquete de tênis ou com os punhos num colchão em vez de ficar remoendo os sentimentos ou esbravejar contra os filhos.

Exercício 70 – Espernear a partir dos quadris

Comece na posição do Exercício 69.

Traga os joelhos na direção do peito e, segurando o cobertor, esperneie para a frente, com força, usando o calcanhar esquerdo.

Traga esse joelho para trás e esperneie com o calcanhar direito.

Repita isso algumas vezes, alternando as pernas. O movimento de espernear deve ir para a frente, na linha do corpo, e não para cima.

» O movimento foi feito a partir dos quadris e não dos joelhos? Para atingir o movimento necessário dos quadris, traga os joelhos bem para trás, na direção do peito.
» Você sentiu vontade de dizer “cai fora!”? Quando essas palavras são usadas, o exercício torna-se expressivo.

FIGURA 44 – Espernear sobre o cobertor enrolado

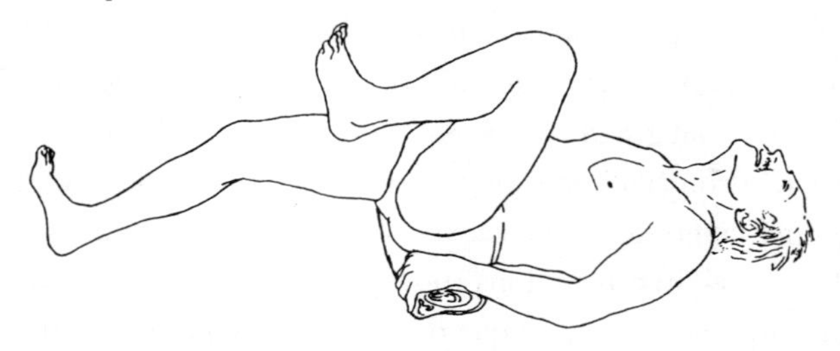

Exercício 71 – Entender-se para alcançar

Adote a postura do Exercício 13, "Posição básica de orientação" (veja a p. 62).

Estenda os braços para cima, como se fosse um bebê querendo alcançar a mãe.

A cada expiração, faça um esforço para ampliar cada vez mais o gesto de alcançar.

» Você sente que está se segurando?
» Suas mãos caem como num gesto de desesperança? Você sentiu que foi capaz de fazer o movimento seguindo as instruções?

Exercício 72 – Estender para alcançar com os lábios

Deixe os braços ao lado do corpo e faça com os lábios o movimento de estender para alcançar, como se estivesse sugando, tal como no Exercício 62 (veja a Figura 39).

Deixe a boca aberta e a mandíbula inferior solta.

Retraia os lábios e estenda-os novamente, no movimento de estender para alcançar.

» Quando os lábios se movem para fora, seu queixo vai para a frente numa expressão de resistência?
» Você consegue manter a respiração profunda e fácil durante o exercício?
» Seus lábios vibram ou formigam?
» O exercício evoca algum sentimento de saudade?

Muitos dos exercícios-padrão do Capítulo 8 funcionam como exercícios expressivos se você adicionar uma colocação vocal adequada aos movimentos. Estender-se para alcançar, por exemplo, torna-se expressivo (e pode tornar-se bastante emocional) se a pessoa diz "mamãe" ou "papai" enquanto faz o movimento. Nos primeiros *workshops* que fizemos, às vezes com grupos de 30 ou mais pessoas, este exercício levou diversos participantes ao choro. Muitas pessoas hoje têm um grande desejo reprimido de proximidade dos pais, desejo esse que não conseguiram expressar quando crianças. Se o desejo não foi suprimido por completo, mobilizar o corpo por meio de outros exercícios e carregá-lo pela respiração costuma trazer esse sentimento à superfície.

Também já mencionamos que o exercício de espernear pode se tornar uma ocasião para a autoexpressão quando se diz: "Cai fora!" Se você conseguir acordar um sentimento enquanto faz o exercício, e depois expressá-lo em palavras, o procedimento pode tornar-se carregado.

Exercício 73 – Espernear no colchão

Faça este exercício numa cama sem bordas, ou então num colchão de espuma sobre o chão. Deite-se com as pernas estendidas. O exercício é feito levantando-se alternadamente cada perna e batendo-a fortemente contra o colchão. A perna toda deve fazer contato com o colchão, não só o calcanhar. Mantenha as pernas levemente estendidas, mas não duras ou rígidas.

Esperneie na cama com cada perna alternadamente, de maneira rítmica: uma perna se levanta enquanto a outra abaixa.

Tente fazer que o movimento se origine nos quadris mais que nos joelhos. Levante a perna o mais alto que puder antes de começar a espernear, sem dobrar os joelhos.

FIGURA 45 – Espernear

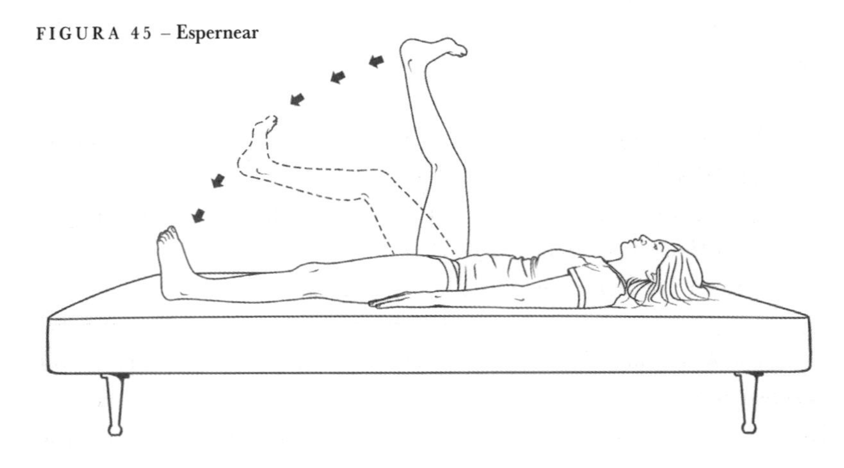

Diga "não" a cada batida, com uma voz sonora e determinada.

Agora emita um sonoro e prolongado "não" enquanto esperneia várias vezes, vigorosamente.

» Seu espernear pareceu real? Ou você se sentiu impotente?
» Sua voz mostrou convicção ou soou hesitante e amedrontada?
» Você conseguiu sustentar um espernear veemente ou ele se esgotou depois do gesto inicial?
» Houve uma coordenação rítmica entre a expressão vocal e o movimento?

Exercício 73A – Variação

Agora diga "por quê?" em vez de "não". Essa expressão faz mais sentido do que o "não" para muitas pessoas, provavelmente porque quando crianças lhes foi dito que não tinham o direito de questionar os ditames de seus pais.

Tente prolongar o som do "por quê" enquanto esperneia. Você pode chegar espontaneamente a um grito, e, nesse caso, seus sentimentos e sensações terão atingido o clímax. Você se sentirá relaxado e aliviado depois disso.

Exercício 74 – Espernear ritmicamente

Este exercício é expressivo apenas em parte, porque é executado sem expressão vocal. Sua intenção é fazê-lo perceber que as pernas servem como órgãos de autoexpressão. Ele ajuda a fortalecer e carregar as pernas, além de melhorar sua respiração.

Esperneie ritmicamente, tal qual no exercício anterior, contando as batidas; cada perna conta uma.

Esperneie assim tanto quanto puder. Se o seu limite for 60, por exemplo (aliás, baixo), faça o exercício duas vezes. No dia seguinte, faça o mesmo exercício, acrescentando mais dez movimentos. A gradação depende das suas possibilidades. Se dez for muito, aumente só cinco.

A cada dia, ou dia sim, dia não, tente aumentar o número de movimentos. Quando alcançar 200, é suficiente.

Os idosos têm mais dificuldade neste exercício porque suas pernas estão mais retesadas e seus músculos, menos flexíveis. O processo de envelhecimento parece atingir primeiro as pernas. Ao fazer estes exercícios regularmente, suas pernas permanecerão mais flexíveis e cheias de vida. Em terapia bioenergética, é um dos exercícios recomendados para se fazer (veja o Capítulo 13).

Exercício 75 – Golpear com os braços

Este exercício é muito difícil de fazer. Deite-se no colchão, com os joelhos flexionados e os pés apoiados.

Feche as mãos e levante os punhos acima da cabeça.

Golpeie o colchão com os dois punhos ao longo do corpo e diga "não" a cada impacto.

Repita a manobra algumas vezes.

» Os impactos lhe pareceram eficazes? Seu "não" foi convincente?

» Você sentiu que tem o direito de dizer "não"?

Exercício 75A – Variação

Repita o mesmo movimento do Exercício 75, mas diga "eu não quero" em vez de "não". Essa expressão é muito forte, com mais ego (eu).

Exercício 76 – Acesso de birra

Este exercício não deve ser feito sozinho nem usado em aulas, a não ser que os participantes tenham considerável experiência com a bioenergética. Ele é utilizado em sessões de terapia, nas quais serve para ajudar as pessoas a se soltarem. É forte tanto física como psicologicamente.

Ele foi incluído aqui para dar ao leitor uma ideia do alcance dos exercícios expressivos. Não se trata de um exercício perigoso, mas pode levar à tontura se a pessoa estiver se controlando de modo rígido.

Deite-se num colchão ou num colchonete no chão. Flexione os joelhos e apoie os pés.

Bata os pés contra o colchão alternadamente; os joelhos deverão estar flexionados.

Traga bem os joelhos de volta em direção ao corpo, movendo mais os quadris que os joelhos.

Faça isso algumas vezes e pare.

Comece a bater os pés novamente contra o colchão. Ao mesmo tempo, bata os punhos, alternadamente, usando braços e pernas.

Repita o procedimento e deixe a cabeça virar para a esquerda e para a direita com o movimento do corpo.

Com a voz firme e forte, grite ou berre "eu não quero!" enquanto faz o movimento.

A chave deste exercício é a coordenação entre os movimentos de pernas, braços e cabeça. Quando ele é executado de maneira correta, o corpo se move como uma unidade. A perna e o braço esquerdos se movem juntos, isto é, ambos batem no colchão ao mesmo tempo. A cabeça vira a favor do lado da batida e não fugindo dela. Se o braço esquerdo se move junto com a perna direita, é como se a pessoa tivesse propósitos conflitantes.

Quando ele é executado corretamente, o corpo se move como um pião. É bonito de observar. É estranho, mas você não sentirá tontura nessa situação se fizer o exercício do jeito certo. A tontura se desenvolve quando você não se entrega total e livremente ao movimento, quando há um conter-se inconsciente diante da expressão.

FIGURA 46 – Acesso de birra

Exercício 77 – Estender para alcançar com lábios e braços

Este exercício permite às pessoas experimentarem o desejo do bebê pela mãe. Torna-se muito emocional quando a palavra "mamãe" é usada e o desejo, evocado.

Deite-se no chão com os joelhos flexionados e os pés completamente apoiados. Faça respirações abdominais profundas.

Estenda os braços e os lábios para cima a fim de alcançar, como na Figura 39 (veja a p. 95).

Diga "mamãe" e perceba quanto sentimento você pode trazer para sua voz e seus braços.

» Você sente que está contendo o que experimenta?
» Isso o deixa envergonhado? Você se sente ridículo estendendo-se para a frente como um bebê? Lembre-se: somos todos crianças no coração e temos pais a quem sempre estaremos ligados.

» O estender-se para alcançar evoca algum sentimento de tristeza? Se sim, você consegue chorar ou se forma um nó na sua garganta?

Exercício 78 – Exigir

Em vez de estender-se para alcançar, como no exercício anterior, cerre os punhos e levante-os à sua frente. Agite-os com força.

Diga "por quê?", "por que você não ficou?", "por que você não se importa?" Você pode usar qualquer outra expressão que lhe pareça conveniente.

» Você conseguiu trazer alguma emoção para a expressão verbal? Se não, isso indica que você está se contendo, seja porque a situação é inconveniente ou porque você está inibido.

Exercício 79 – Expressar raiva

As pessoas deveriam ser livres para expressar fisicamente sua raiva quando isso é oportuno. A maioria de nós está por demais assustada pela violência para se sentir capaz de expressar a raiva fisicamente sem que haja uma provocação extrema. Há, na nossa cultura, um tabu diante do bater – o que é péssimo, pois em geral impede que pessoas inocentes se preparem para lidar com valentões.

Fique em pé diante de uma cama. De preferência, use um colchão de espuma de borracha, de modo que você não se machuque. Este exercício é indispensável se você sofre de tensões na cintura escapular, pois elas estão em grande medida relacionadas com a inibição do uso dos braços para atacar. Existem outras variações para o exercício.

Fique em pé com os pés separados cerca de 35 cm e flexione levemente os joelhos.

Cerre os punhos e erga-os acima da cabeça.

Levante os cotovelos e empurre-os o máximo possível para trás.

Agora soque a cama com força, mas de modo que o movimento saia livremente, sem forçá-lo.

Diga qualquer palavra que expresse raiva. Se quiser, use palavras como "não", "não quero", "me deixe", "dane-se" ou "eu te odeio".

» Você conseguiu sentir se as pancadas foram reais ou estéreis?
» Experimentou alguma emoção com o exercício? Não é necessário ter um sentimento forte para que ele seja significativo.

» Você fica assustado com seu potencial para a violência? Nesse caso, o uso repetido do exercício reduz sua ansiedade e aumenta seu controle sobre a raiva.

FIGURA 47 – Golpear

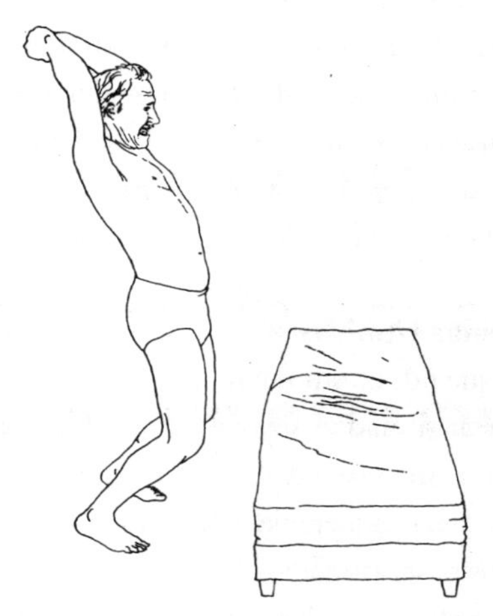

Exercício 80 – Usar uma raquete para expressar raiva

Agora use uma raquete de tênis em vez dos punhos. Ela confere uma sensação de força e ajuda a superar a sensação de impotência.

FIGURA 48 – Golpear com a raquete de tênis

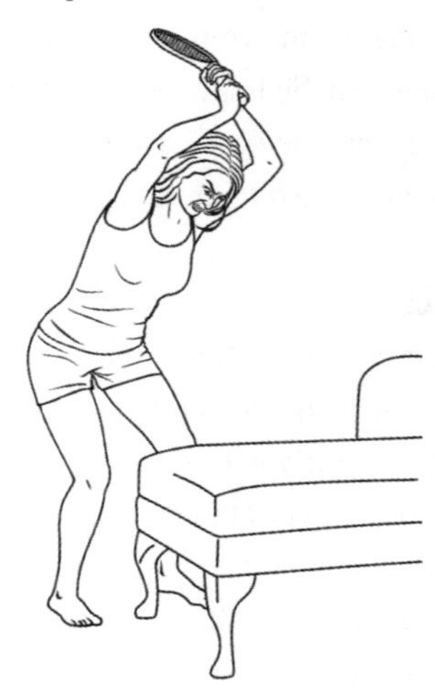

Levante a raquete acima da cabeça e desfira golpes sucessivos com sua superfície plana sobre o colchão. Diga palavras que expressem algum sentimento que você tenha. Lembre-se: você não está machucando ninguém.

» Você sentiu prazer com o exercício?
» O som dos golpes o assustou? Pareceram muito violentos? Você teve medo de querer matar alguém? Se conseguir aceitar e expressar esse sentimento ("eu vou te matar") enquanto bate no colchão, você descarregará parte de sua raiva assassina e ganhará controle sobre ela. Haverá menor probabilidade, então, de descarregar tal ira numa situação real.

Exercício 81 – Batidas rítmicas

Este é um exercício que nós mesmos e muitos pacientes costumamos praticar. Parece com o espernear ritmado e serve para fortalecer os braços, desenvolver a coordenação dos movimentos e desfazer a tensão da cintura escapular.

Erga os punhos, ou a raquete de tênis, e bata 20 vezes no colchão.

As pancadas devem ser ritmadas – nem muito lentas, nem muito rápidas.

Inspire quando os braços estiverem erguidos e expire totalmente quando descerem.

Alongue os braços ao máximo por trás da cabeça para conferir a maior energia possível ao movimento. Observe uma conhecida lei da ação muscular: quanto mais você se alonga, mais forte e eficaz será a contração resultante. Não precisa bater com muita força. A potência da pancada vem do alongamento e do ritmo do movimento. Pense em arremessar uma flecha. Da mesma forma, não é preciso forçar o arremesso. Se houver um alongamento completo, o golpe sairá espontaneamente à medida que você se entrega. Depois que conseguir dar 20 pancadas sem esforço, aumente o número regularmente até atingir 40 ou 50.

Exercício 81A – Variação

Outro exercício desse tipo é o de socar o colchão alternando os braços. Ele demanda o alongamento de músculos não atingidos pelo exercício anterior. Mais uma vez, o importante é manter os braços soltos, flexíveis e alongados antes de cada pancada. Inspire ao alongar-se por completo e expire com a descarga do movimento.

Tente levar os punhos por cima da orelha do outro lado do corpo a fim de obter a tensão máxima para o golpe.

Exercício 82 – Agressão

Literalmente, a palavra "agressão" significa "mover-se em direção a". As pessoas costumam usá-la denotando "ir atrás do que se quer". A pessoa agressiva é aquela que vai ativamente em busca da realização de seus desejos. Falta de agressão significa passividade – espera passiva, incapacidade de avançar em busca de algo.

Um bom exercício de agressão é torcer uma toalha. Pegue uma toalha de rosto de tamanho médio e enrole-a.

Então, torça-a o mais forte possível.

Enquanto estiver torcendo a toalha, diga "me dá".

- » Você conseguiu sentir que é capaz de obter aquilo que deseja?
- » Afrouxou o aperto depois de cada exigência ou conseguiu manter a continuidade?
- » Sua voz soou forte e segura?
- » Você teve a sensação de que pode obter o que deseja? Foi bom sentir isso?

FIGURA 49 – Torcendo a toalha

Toda ação expressiva é um ato agressivo, no sentido de "mover-se para fora", em direção ao mundo, apoiado nos sentimentos ou na energia pessoal. Não devemos pensar em agressão somente nos termos negativos da ciência política. Ir em busca do amor é uma ação agressiva. Dizer "eu te amo" é tão agressivo quanto dizer "eu te odeio". A agressão está na ação de ir em busca ou dizer, não no conteúdo das palavras. Por outro lado, ter sentimentos que não se consegue expressar é um sinal de passividade. Todo ato autoexpressivo implica algum grau de agressão.

Para ser completamente autoexpressivo, o corpo não pode ter tensões, sobretudo aquelas que bloqueiam nossa agressividade natural. Esse sentimento é bloqueado desde a infância, por isso é tão difícil libertá-lo. A prática contínua destes exercícios é primordial nessa tarefa.

10. Trabalho com o banco de bioenergética

Deitar-se sobre o banco de bioenergética é parte importante do trabalho bioenergético de corpo, pois ajuda a alongar os músculos contraídos das costas – o que, de outra forma, é muito difícil – e a respirar de modo mais profundo sem grande esforço consciente. Ao deitar-se sobre o banco e relaxar nessa posição tensionante, sua respiração torna-se espontaneamente mais profunda. Da mesma forma, a própria posição alonga e alivia os músculos tensos das costas.

O banco de bioenergética usado agora é uma adaptação do antigo banco de madeira para cozinha. Um ou dois cobertores enrolados são amarrados a ele. Usamos cobertores de exército porque, enrolados, ficam mais firmes. O banco tem 60 cm de altura e os cobertores enrolados acrescentam outros 15 ou 20 cm. Como na versão original, ele tem as pernas abertas e ligadas por cruzetas que lhe dão uma base sólida e larga. A Figura 50 mostra o banco. Uma trave de madeira de 2,5 cm é colocada abaixo do assento (na ilustração é inserida através de buracos) e se projeta de 12 a 15 cm de comprimento, em ambos os lados. Ela serve para você se segurar e ajuda no momento de se levantar do banco.

FIGURA 50 – O banco bioenergético

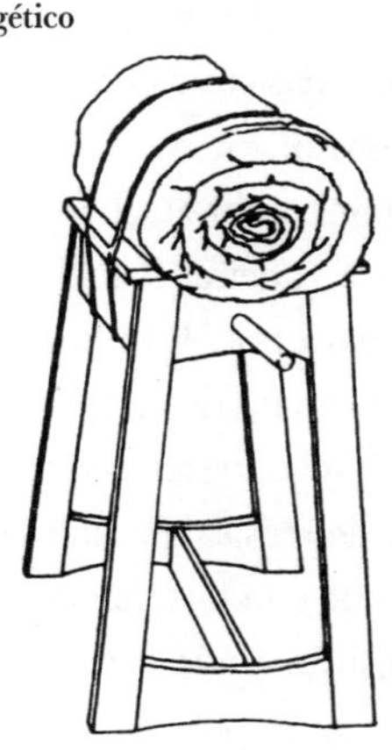

Existem várias formas de trabalhar com o banco. O exercício básico é deitar-se com as costas sobre ele, com o rolo de cobertores no nível da parte inferior das escápulas, na mesma linha dos mamilos. Essa região fica perto de onde os brônquios (duto aéreo) se dividem em dois ramos, cada um dirigindo-se para um dos pulmões. É um local de constrições graves na maioria das pessoas. Ao deitar-se no banco, a pessoa estende os braços para trás, alcançando com as mãos uma cadeira colocada logo atrás dele.

Exercício 83 – Deitar-se sobre o banco

Para usar o banco com facilidade, fique em pé, direcione as costas para trás e apoie as mãos no rolo de cobertor atrás de você. Então, devagar, vá descendo as costas até que elas se apoiem no rolo e deixe os braços soltos. O banco aguentará o seu peso. Agora estenda os braços até alcançar a cadeira atrás de você.

Flexione os joelhos, mantendo os pés totalmente apoiados no chão.

Fique deitado no banco o quanto for razoável para você, mas não mais de um minuto da primeira vez. Tente sentir o que acontece no seu corpo.

Ao levantar, não o faça de imediato. Erga a cabeça e coloque as mãos cruzadas atrás dela como suporte (veja a Figura 52). Essa é a posição de descanso que permite a respiração profunda sem tensão.

» Você conseguiu alcançar a cadeira? Sentiu dor na parte superior das costas, no lugar onde elas encostavam no banco?
» Se suas costas estavam muito rígidas e contraídas, provavelmente você não conseguiu tocar a cadeira e o alongamento foi bem doloroso. Levante-se e tente outra vez. A dor em geral desaparece com a prática, à medida que os músculos das costas relaxam. Com o tempo, o exercício pode até se tornar prazeroso.
» Se você tiver bursite em um ombro, achará impossível alongar esse braço para trás a fim de tocar a cadeira. Não se force a isso. Faça o exercício esticando um só braço para trás. Entretanto, em todos os casos com os quais trabalhamos, os exercícios de ombros descritos no Capítulo 8, aliados ao uso contínuo do banco, resultaram num alívio notável da bursite.
» Você sentiu algum tipo de tensão no diafragma ou nos músculos abdominais? Quando o abdome está fortemente contraído, o alongamento de tais músculos nessa posição pode ser doloroso. Essa dor desaparece quando eles relaxam com a respiração profunda.

FIGURA 51 – Inclinar-se para trás sobre o banco

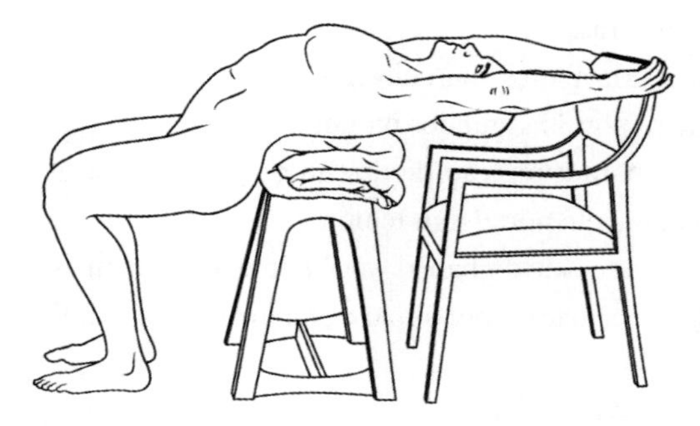

FIGURA 52 – Posição de descanso

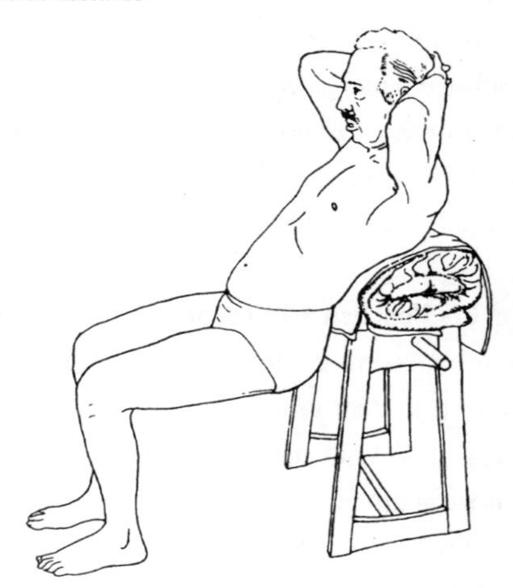

- Sentiu alguma dor na parte inferior das costas? De novo, isso indica uma tensão considerável nessa área.
- Conseguiu sentir os pés no chão? Se sim, você deve ter percebido uma carga ou excitação fluindo para eles, manifestada por um formigamento ou por outras parestesias (sensação de agulhadas).
- Sentiu um formigamento nos braços ou no rosto?
- Teve algum problema para respirar? Sentiu a garganta apertada ou com certa sufocação? Isso é sinal de que, inconscientemente, você está se contendo para não respirar de forma profunda. Até certo ponto, você pode resolver o problema emitindo um som enquanto expira. A sensação de sufocação pode ser causada também por um bloqueio do impulso de chorar. Se você sentir esse impulso, tente expressá-lo.

Role para trás e para a frente várias vezes, sempre tentando alongar os braços mais para trás.

Quando sentir que os músculos relaxaram um pouco, tente segurar as costas da cadeira por 30 segundos ou um minuto.

Levante-se para a posição de descanso com as mãos atrás da cabeça e respire tranquilamente por algum tempo.

Quando decidir sair do banco (você não deve ficar mais de dois minutos por vez), coloque as mãos sobre o rolo e empurre-se para cima até ficar em pé.

Exercício 83A – Variação

Se a posição descrita no Exercício 83 for difícil de atingir ou manter, mesmo que por poucos segundos, há um exercício de rolar usado para diminuir a pressão.

Com as costas sobre o banco, levante os braços para cima e vá estendendo-os para trás tanto quanto der, e depois novamente para cima. Deixe que a cabeça siga o movimento dos braços. Dessa maneira, você faz uma pressão momentânea – e pontual – nos ombros e costas, como no primeiro exercício.

Repita o Exercício 1 – Postura básica de vibração e *grounding*

Depois de ter usado o banco em qualquer posição, inverta a posição de arco, inclinando-se para a frente. Para tanto, reproduza o primeiro exercício deste livro (veja a Figura 2, p. 19). Você deve ter notado que em todos os exercícios de bioenergética o movimento feito numa direção é seguido de outro na direção oposta. Tal procedimento aumenta a flexibilidade do corpo e, por conseguinte, a flexibilidade da personalidade.

Exercício 84 – Diferentes posições no banco

O banco de bioenergética é usado para alongar e relaxar todos os músculos das costas. Nos exercícios 83 e 83A, a pressão foi focalizada na porção superior das costas, mas pode ser também dirigida a outras regiões dessa parte do corpo. Para tanto, apoie-se mais para cima ou para baixo no banco. Se você se deitar no banco com o rolo de cobertor no meio das costas, a pressão afetará os músculos dessa área, assim como o diafragma, que se insere nas vértebras medianas.

O banco pode ser colocado perto de uma cama para lhe proporcionar maior segurança quando se inclinar para trás.

Coloque o banquinho ao lado da cama, como na Figura 53.

FIGURA 53 – Região lombar no banco

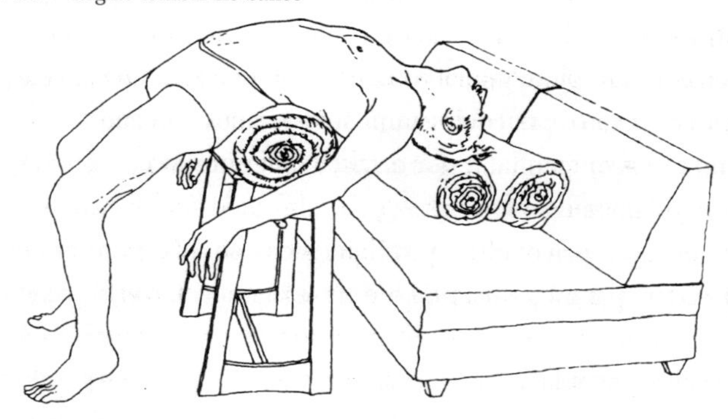

Apoie-se nas mãos sobre o banco atrás de você e deixe o meio das costas apoiar-se no rolo de cobertor.

Se a pressão for muito grande, levante-se para a posição de descanso descrita anteriormente. Depois, tente voltar para o banco. Como a tensão é uma expressão de medo, você vai achar o exercício mais fácil à medida que se familiarizar com ele.

Se puder, deixe os braços passarem por cima da cabeça até tocarem a cama atrás de você.

Fique nessa posição por cerca de um minuto, respirando e sentindo seu corpo. Volte para a posição de descanso e permaneça nela por 30 segundos.

» A pressão foi muito forte? Você conseguiu senti-la no meio das costas?
» Você teve dificuldade de respirar nessa posição? Conseguiu sentir a tensão no diafragma?

Ao sair do banco, flexione o corpo para a frente como no Exercício 1 e deixe as pernas vibrarem um pouco.

Exercício 85 – Alongamento da região lombar

No começo, a maioria das pessoas acha este exercício extenuante. Porém, com a prática, ele vai se tornando mais fácil. Nós sempre recorremos a ele nas sessões de terapia para relaxar os músculos da região lombar e abrir a pelve.

O banco deve estar em frente à cama. Se esta for muito baixa, coloque uma almofada para apoiar a cabeça nela. Fique em pé, dando as costas para o banco, coloque as mãos no rolo e deite a parte inferior das costas sobre o cobertor. Deite-se sobre o banco, deixando a cabeça repousar sobre a almofada ou cama.

Deixe as mãos soltas, apoiadas nas hastes do banco, até se sentir relaxado. Permaneça com os pés completamente apoiados no chão.

Permita-se acompanhar a dor da parte inferior das costas e respire tranquila e profundamente.

Tente deixar a pelve solta. Não fique nessa posição por mais de um minuto e levante-se para a posição de descanso quando a dor for muito forte.

» Você conseguiu relaxar nessa posição de pressão por 30 segundos? O nível de tolerância está relacionado com a quantidade de tensão nas costas.
» Você se sentiu como se suas costas fossem se quebrar? Essa sensação indica um medo intenso.
» Você respirou até dentro da pelve? Quanto mais relaxar nessa posição, mais profunda será sua respiração. Conseguiu soltar a pelve e manter os pés no chão?

Curve-se para a frente tal como depois do exercício anterior, para que as vibrações nas pernas reapareçam. Talvez você sinta vibrações fortes em toda a região pélvica.

Exercício 86 – Alongamento pélvico

Neste exercício, coloque os glúteos no banco e arqueie o corpo para trás. O banco deve estar na frente da cama e sua cabeça, apoiada nela. Segure o rolo ou as hastes do banco. Seus pés ficarão erguidos. Deixe os pés pendurados, fazendo pressão para baixo com os calcanhares.

Permaneça nessa posição por até um minuto, respirando com tranquilidade.

Segurando as traves com firmeza, erga os pés e empurre vigorosamente os calcanhares para cima, flexionando os tornozelos. Suas pernas deverão vibrar nitidamente nessa posição.

Para sair do banco, balance as pernas com força para baixo enquanto segura as traves do banco. Esse impulso fará que a parte superior do corpo se erga e que seus pés atinjam o chão (veja a Figura 54).

» Suas pernas formigaram nessa posição? Você sentiu agulhadas nos pés?
» O exercício trouxe mais sensações à sua pelve?

» Seus glúteos se enrijeceram?
» Suas pernas vibraram fortemente quando erguidas?

FIGURA 54 – Nádegas sobre o banco (alongamento pélvico)

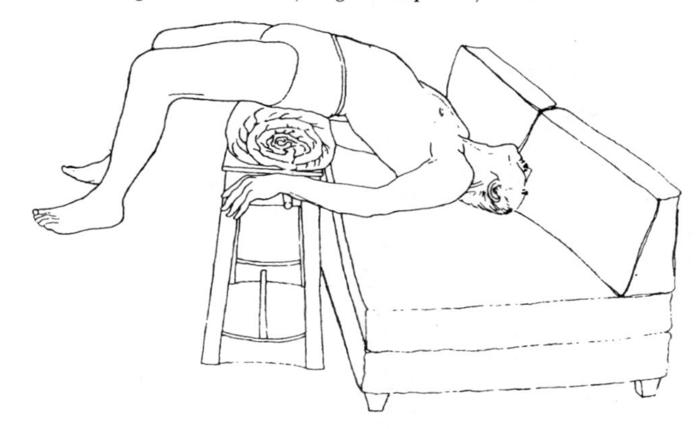

Exercício 87 – Espernear usando o banco

Esta é uma variação do Exercício 86 e tem como objetivo levar uma carga mais forte para as pernas enquanto a pelve está estendida. Parta da posição mostrada no exercício anterior (deite-se com as nádegas no banco e o corpo apoiado na cama).

Segure nas travas do banco, levante um joelho e esperneie com força para a frente com o calcanhar. Tente direcionar o movimento para baixo.

Terminando o chute com uma perna, traga o outro joelho para cima, para o próximo chute.

» Agora esperneie alternadamente com cada perna, usando certa força.
» Você sentiu o alongamento dos músculos das coxas enquanto esperneava?
» Sentiu um alongamento na articulação dos quadris?

Após este exercício, é conveniente curvar-se para a frente, colocar os pés no chão e fazer as pernas vibrarem.

Exercício 88 – Pressão no peito

Neste exercício, a pressão é colocada no peito, o que mobiliza essa região e facilita a respiração. Coloque o banco num lugar aberto e deite-se sobre ele com o peito sobre o rolo.

Deixe a cabeça cair para a frente e os braços penderem.

» Você sentiu o peito contraído? Teve alguma dificuldade de respirar?
» Sentiu o peito relaxar com essa pressão?

FIGURA 55 – Peito no banco

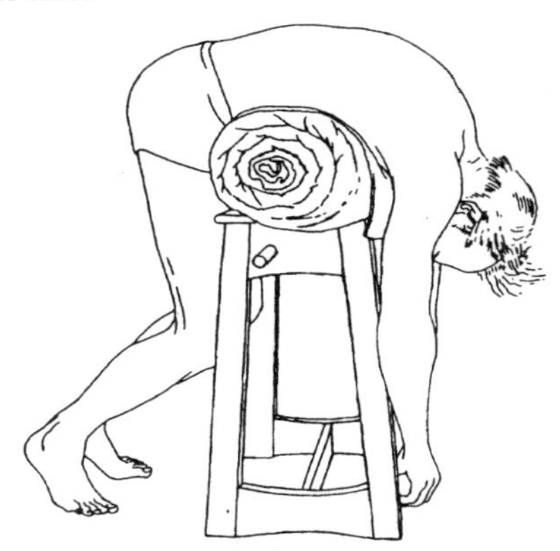

A grande vantagem dos exercícios no banco é que eles nos ajudam a respirar sem esforço. A única exceção é o Exercício 87 (veja a p. 117), o de espernear usando o banco. Devemos relaxar ou nos render ao alongamento e à pressão, e não lutar contra eles. À medida que se aprende a fazer isso, a respiração se torna mais profunda em reação natural à pressão. Para tanto, é preciso prática, pois para alguns tal pressão é bastante forte. Não considere estes exercícios um desafio à sua vontade ou resistência. Não persista neles quando se tornarem dolorosos. A dor fará que você se tensione. Tente novamente em outra oportunidade. Talvez você se sinta mais confortável no trabalho com o banco, mas ele nunca é fácil.

Se conseguir relaxar sobre o banco, isso se tornará uma experiência de meditação corporal. Você vivenciará a respiração como uma função espontânea do corpo e poderá se tornar consciente de outros movimentos involuntários. Se isso ocorrer, significa que o banco funciona para você.

11. Exercícios sexuais

Estes exercícios destinam-se a intensificar as sensações na área pélvica e soltar a pelve para um maior prazer sexual. Eles não envolvem os órgãos genitais nem induzem à excitação deles. A quantidade de prazer sexual experimentada, isto é, de prazer orgástico, depende de quanta excitação sexual você se permite acumular na pelve antes da descarga. De certo modo, a pelve funciona como um condensador. Sua capacidade é determinada por sua área interna e mobilidade. Tensões musculares dentro da pelve limitam sua capacidade, enquanto tensões nos músculos externos reduzem a capacidade de descarregar a excitação.

A pelve deve ser deixada solta, de modo que possa oscilar livremente à medida que a corrente de excitação passar pelo corpo. A respiração abdominal profunda é o fator primordial na ampliação do reservatório pélvico. A respiração profunda é, portanto, o objetivo primário de todos os exercícios, sobretudo dos sexuais. Mais ainda, por meio destes, procuramos aliviar as tensões que inibem a mobilidade pélvica e integrar os movimentos pélvicos às ondas respiratórias.

Você obterá resultados melhores se eles forem feitos em conjunto com outros deste livro. O corpo é uma unidade: tensões em qualquer parte interferem nos movimentos naturais de todas as outras, restringindo-os. Isso vale sobretudo para a tensão no pescoço. Se a cabeça estiver rigidamente mantida por tensão dos músculos do pescoço, devido ao medo de "perder a cabeça", a pelve não se moverá livremente. Nestes exercícios, mantenha a cabeça para trás e deixe-se ir; ela não vai cair. Caso sinta tontura ou ansiedade, pare o exercício, coloque-se na posição de descanso e permita que sua respiração se normalize. Então tente de novo, mas não force o medo ou a dor além do tolerável.

Exercício 89 – Balanço ou báscula da pelve

Este exercício demanda o uso do banco de bioenergética. Será apresentado aqui porque enfoca sobretudo o movimento da pelve.

Deite-se no banco, com o rolo de cobertor em contato com a parte superior das costas.

Estenda as mãos para trás até alcançar o espaldar de uma cadeira colocada atrás do banco. Ela deve ser bem pesada.

Mantenha os pés totalmente apoiados no chão durante o exercício. Muitas pessoas tiram os pés do chão e assim perdem o contato com ele.

Ao mesmo tempo, tente continuar se segurando na cadeira. Dessa forma você ficará ancorado em ambos os extremos. Faça a báscula da pelve para cima e para baixo, ritmicamente. Movimentar-se ritmicamente é fundamental neste exercício. Comece devagar e, então, aumente a velocidade à medida que seu corpo for se soltando.

Tente manter a respiração coordenada com os movimentos pélvicos.

» Você conseguiu fazer a pelve oscilar nessa posição?
» Sentiu alguma dor ou imobilidade na parte inferior das costas? Ambas inibem o balanço natural.
» Conseguiu manter um ritmo? Sua respiração estava coordenada com os movimentos pélvicos?
» Você permitiu que os glúteos ficassem descontraídos enquanto a pelve balançava para cima?
» Manteve os calcanhares no chão?

FIGURA 56 – **Báscula da pelve**

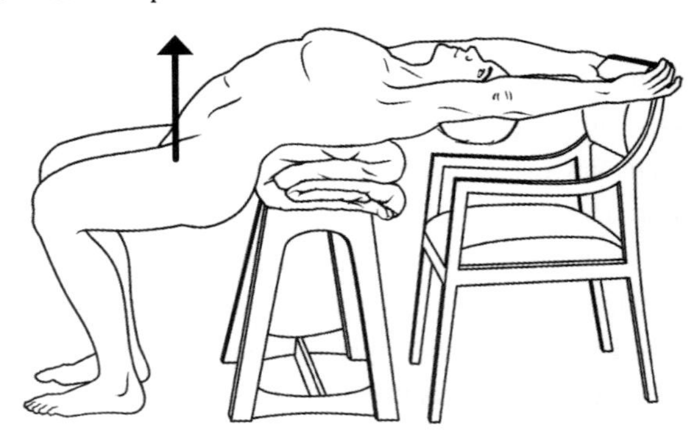

O primordial aqui é manter-se ancorado enquanto segura a cadeira e pressiona os pés contra o chão. Se os dois extremos do arco do seu corpo permanecem ancorados em segurança, o movimento estará certo. Não é fácil fazer corretamente este exercício. O movimento oscilatório pélvico natural está inibido na maioria das pessoas, e elas tendem a erguer a pelve em vez de deixá-la balançar. Outra tendência é a de retesar os glúteos, o que bloqueia todas as sensações sexuais. Ao trabalhar com este exercício, procure deixar as nádegas descontraídas.

Depois de finalizar o exercício, curve-se para a frente, na posição de *grounding*, deixando as vibrações se desenvolverem nas pernas.

Exercício 90 – Alongamento e relaxamento dos músculos internos da coxa

Esses músculos, chamados de adutores, atuam para unir as coxas. Antigamente, eles eram chamados de "músculos da moralidade", pois as mulheres eram ensinadas a sentar-se apertando as pernas umas contra as outras. Em muitas pessoas (homens e mulheres), mostram-se bastante contraídos. Alongá-los ajuda no relaxamento do assoalho pélvico.

Deite-se de costas no chão com um cobertor enrolado abaixo da linha da cintura. Suas nádegas devem encostar no solo. Se parecer muito difícil, reduza o tamanho do rolo. Flexione os joelhos e junte as plantas dos pés.

Deixe os braços ficarem ao longo do corpo ou apoie-os de leve sobre a parte interna das coxas. Deixe a cabeça cair para trás tanto quanto for possível.

Pressione os glúteos contra o chão e separe bem os joelhos, mantendo as solas dos pés juntas.

Mantenha essa posição por vários minutos enquanto respira fundo usando o abdome. Este deve estar solto.

FIGURA 57 – Alongamento dos adutores

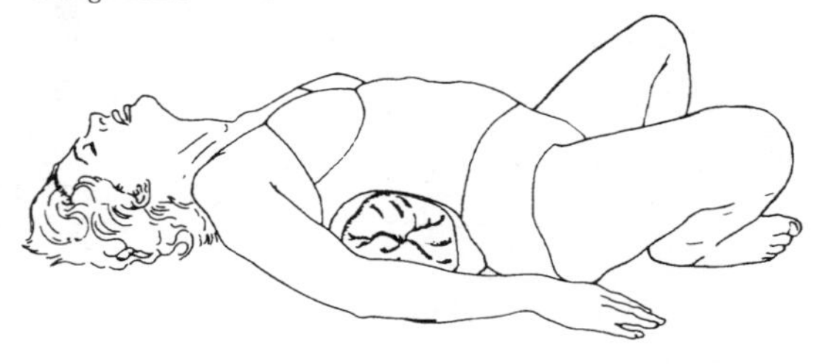

Se a parte inferior das costas estiver doendo, retire o cobertor enrolado. Nesse caso, você pode fazer o mesmo exercício sem o rolo, embora assim ele seja menos proveitoso.

» Você sentiu algum repuxamento ou alongamento nos músculos adutores? Sentiu-os tremerem ou começarem a vibrar?
» Conseguiu afastar bem os joelhos enquanto mantinha as nádegas pressionadas contra o chão?
» Conseguiu fazer a respiração abdominal?
» Foi capaz de deixar as nádegas soltas e o ânus aberto durante o exercício?

Ao terminar este exercício, remova o rolo de cobertor e flexione os joelhos na vertical com os pés totalmente apoiados no chão. Assim você estará pronto para o próximo.

Exercício 91 – Vibração dos músculos internos da coxa
Partindo da posição anterior, apoie os pés no chão a cerca de 30-40 cm um do outro. Afaste os joelhos devagar sem deslocar os pés. Procure mantê-los totalmente apoiados. O movimento deve ser bem vagaroso e sem esforço. Separe os joelhos o máximo possível, mantendo os pés inteiramente no chão.

Devagar e sem esforço, vá juntando os joelhos até que se toquem. É importante que o movimento seja lento e não forçado, para induzir a ocorrência das vibrações.

Agora separe os joelhos de novo, com a mesma suavidade, e então junte-os outra vez.

FIGURA 58 – Vibração dos adutores

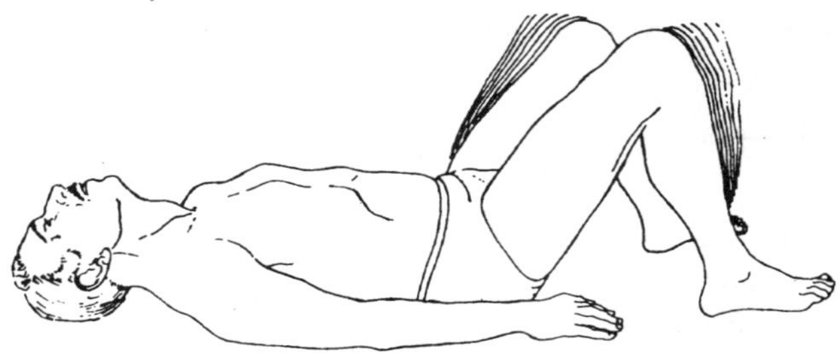

Quando sentir as vibrações começarem, mantenha os movimentos de modo que elas continuem e fiquem mais fortes. Você perceberá que essas vibrações são muito prazerosas. Lembre-se de respirar.

» Suas pernas vibraram nessa posição?

» Por acaso sua respiração tornou-se espontaneamente mais profunda quando as vibrações aumentaram?
» Você experimentou sensações agradáveis nas coxas e no assoalho pélvico?

Exercício 92 – O círculo ou arco completo

Este exercício promove um forte alongamento dos músculos anteriores da coxa, portanto pode provocar dor se eles estiverem muito contraídos, o que impede a pelve de balançar. No exercício, a pelve fica suspensa entre os pés e os ombros, o que fará que ela vibre livremente se você conseguir relaxar nessa posição.

Deite-se de costas sobre um colchão ou cama, dobre os joelhos e separe os pés cerca de 30 cm um do outro, mantendo-os bem apoiados na superfície.

Segure os tornozelos e arqueie o corpo para cima, tracionando-se para a frente com as mãos e deixando a cabeça cair para trás. Somente cabeça, ombros e pés devem tocar o colchão ou cama.

Empurre os joelhos para a frente o máximo que puder.

Deixe a pelve ficar suspensa livremente. Não contraia os glúteos. Tente deixar o ânus aberto tanto neste quanto nos demais exercícios.

Se o arco causa dor, não insista na posição; deixe as costas voltarem ao colchão. Em seguida, tente o arco mais uma vez.

» Você conseguiu manter o arco e respirar no abdome ao mesmo tempo?
» Sua pelve desenvolveu alguma vibração nessa posição? Seus glúteos ficaram soltos?

FIGURA 59 – Arco – círculo completo

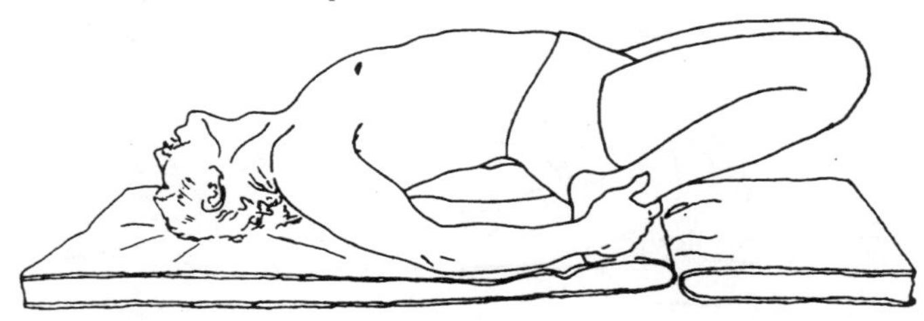

Exercício 92A – Variação

Se você teve alguma dificuldade nessa posição – e muitas pessoas têm –, tente rolar para trás e para a frente sobre os pés enquanto se mantém nela. Ao rolar para a frente, procure tocar o colchão com os joelhos. Quando rolar para trás, o tensionamento é aliviado. Assim, lentamente você vai alongando os músculos anteriores da coxa.

Exercício 92B – Variação

Retorne à posição em arco, mas coloque os punhos sob os calcanhares.

Pressione para baixo com os calcanhares, mas não deixe que seu corpo role para trás. Mantenha os joelhos apontados para a frente e para baixo.

Faça a báscula da pelve com vários movimentos rápidos para induzir as vibrações, se estas não ocorrerem espontaneamente. Deixe as nádegas soltas; não as contraia nem retese (veja a Figura 60).

» Ocorreram vibrações pélvicas?
» Você conseguiu fazer a respiração abdominal?
» Foi capaz de manter os glúteos soltos?

Nestes exercícios, a planta dos pés atua como sustentáculo para a ação de alavanca que levanta a pelve. A pressão é exercida por meio dos calcanhares quando você os pressiona para baixo. Se os joelhos forem mantidos para a frente e para baixo, a força resultante vai fazer a pelve girar para cima sem nenhuma contração dos glúteos nem do abdome.

FIGURA 60 – Arco com os punhos sob os calcanhares

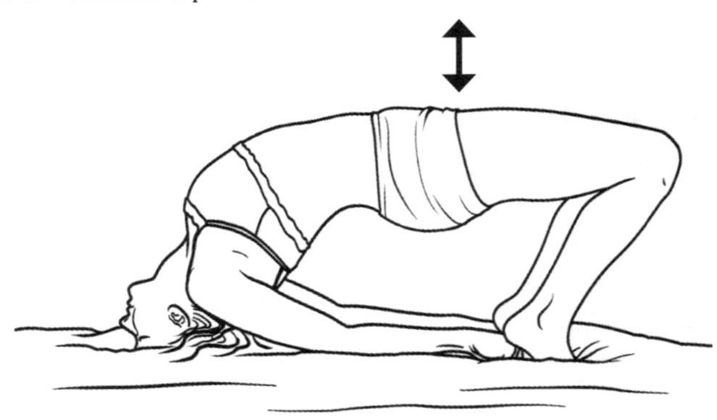

Exercício 93 – Bater com a pelve

Esta posição consiste em trazer os glúteos para trás a fim de carregá-los e mobilizá-los ao movimento para a frente. Este deve partir dos pés, e não dos glúteos. Se você o fizer a partir dos glúteos, vai contraí-los e eliminar boa parte da sensação sexual. Deite-se de barriga para baixo no chão ou num colchão.

Coloque as mãos espalmadas no chão, sob a cabeça, deslizando os cotovelos dobrados para os lados, de modo que o peito esteja contra o colchão. Vire a cabeça de lado.

Crave os dedos dos pés no colchão de modo que possa usá-los para pressionar a superfície. Flexione levemente os joelhos e mantenha-os em contato com o chão.

Mantendo o abdome contra o colchão, puxe as nádegas para trás tanto quanto possível.

Fique nessa posição e pressione bastante com os dedos dos pés, respirando profundamente, mas com tranquilidade.

Balance a pelve com movimentos rápidos contra o colchão, pressionando os dedos e os joelhos para baixo.

- » Você sentiu o abdome pressionando o colchão? Foi capaz de respirar até dentro dele?
- » Sua pelve desenvolveu alguma vibração durante o exercício?

Para mobilizar a carga sexual total, é importante que as pessoas estejam *grounded*. Isso só acontece se os pés estiverem pressionando uma superfície durante o ato sexual. Recomendamos que a pessoa que estiver por cima pressione os pés contra a borda da cama para obter o *grounding* necessário ao impulso dos movimentos. Na falta da borda da cama, crave os dedos no colchão, como no exercício anterior.

As pessoas que experimentam este exercício constatam um aumento significativo de sensações sexuais. Ele é um dos caminhos para experimentar o aumento de carga para o impulso dos movimentos.

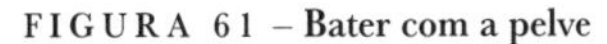

FIGURA 61 – **Bater com a pelve**

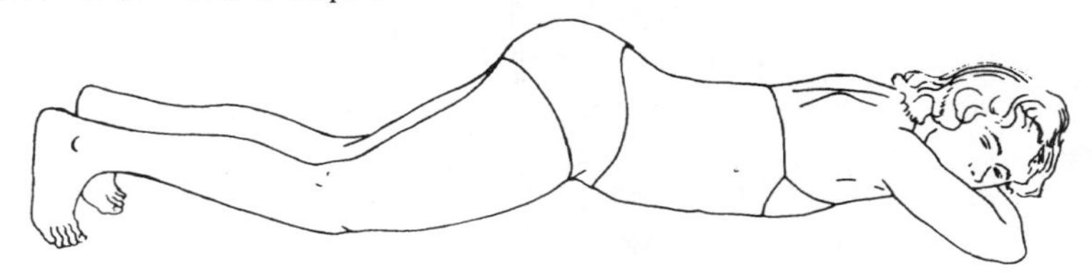

Exercício 94 – Vibração pélvica

Faça este exercício em frente ao banco de bioenergética, uma cadeira ou mesa, pois esses objetos o colocam numa posição na qual fortes vibrações serão induzidas nas pernas, podendo-se estender à pelve.

Fique em pé, de costas para o banco; pés apontados para a frente e separados cerca de 15 cm.

Coloque um cobertor dobrado no chão em frente aos joelhos no caso de se deixar cair.

Coloque as mãos atrás de si, tocando levemente o banquinho, cadeira ou mesa para manter o equilíbrio. Não deve haver peso nas mãos.

Flexione os joelhos e incline-se um pouco para a frente, de modo que os calcanhares saiam do chão. O peso do corpo deve ficar sobre a planta dos pés.

Equilibrando-se nessa posição com as mãos no banquinho, cadeira ou mesa, arqueie o corpo para trás e incline a pelve para trás, mas sem quebrar o arco.

Mantenha a posição, respirando profundamente, até que suas pernas comecem a vibrar.

FIGURA 62 – Vibração pélvica

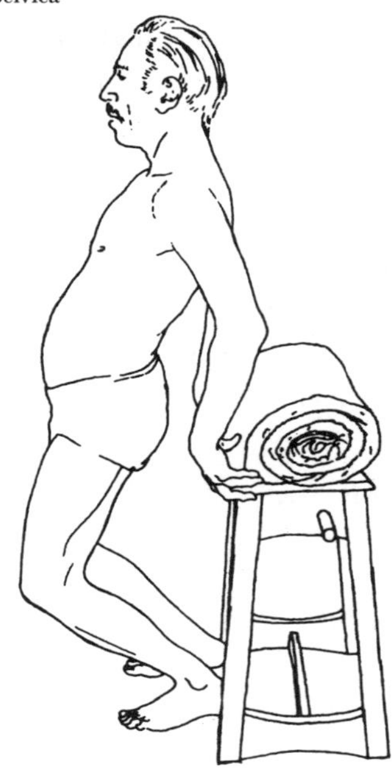

Quando elas vibrarem, movimente a pelve com delicadeza para a frente e para trás. O movimento deve partir das pernas e dos pés. As vibrações começarão na pelve e você experimentará um balanço pélvico espontâneo.

Se nessa posição as coxas começarem a doer, deixe-se cair de joelhos. Levante-se, ande pela sala e repita a manobra.

» Sua pelve se movimentou espontaneamente? Você sentiu medo com o movimento?
» Seus joelhos tremeram de um lado para o outro em vez de para baixo e para cima? Esse tremor lateral nas pernas é uma expressão de medo.
» Você sente a pelve mais cheia de vida agora?

Estes exercícios podem ajudá-lo a aumentar a carga sexual na pelve; tal carga ficará evidente pelo desenvolvimento de movimentos pélvicos espontâneos. Porém, se você não conseguir conter a carga, a pelve reagirá com muita rapidez. Segurar a pelve para trás em qualquer destes exercícios permite que a carga aumente com maior intensidade antes de os movimentos involuntários de descarga acontecerem.

12. Técnicas de massagem

A massagem é uma parte importante da bioenergética. É a contrapartida aos exercícios ativos, nos quais se requer esforço para produzir resultados. Na massagem, você apenas relaxa e sente o toque e a pressão das mãos do massagista enquanto elas acariciam e massageiam sua pele e seus músculos. Às vezes, porém, quando a tensão muscular é grande, a massagem pode provocar dor. Conforme fui massageado regularmente ao longo dos anos, senti dor em diferentes partes do corpo. Sabendo que ela se devia à tensão, eu tentava ir junto com ela, isto é, ficava relaxado e deixava que doesse. O massagista também sentia a tensão na forma de músculos contraídos em determinadas áreas. Em geral, depois de várias sessões, a dor desaparecia e a área tornava-se macia ao toque. Felizmente a massagem era sempre mais agradável do que dolorosa, e eu me sentia tão bem depois que ansiava pela próxima. Era comum que, ao fim de uma boa sessão, eu dormisse na maca.

A massagem serve a vários propósitos. Sempre precisamos de algo bom, feito para nós e por nós. Parcialmente, ela preenche essa necessidade oral profunda, que, aliás, é um dos seus atrativos. Temos também uma necessidade adulta de ser tocados de forma prazerosa, mas sem nenhuma intenção sexual, e a massagem também satisfaz esse desejo. Igualmente importante é o trabalho com os músculos tensos. As mãos de um massagista podem atingir tensões que nós não conseguimos tocar e que os exercícios não afetam diretamente. As espasticidades musculares da base do crânio e do assoalho da boca se enquadram nessa descrição. Esses músculos costumam relaxar mediante uma pressão direta e firme.

Muito da eficácia da massagem depende da sensibilidade, da destreza e das mãos da pessoa que a aplica. É necessário que ela saiba quanto de pressão aplicar: se muita, causará tensão excessiva; se pouca, será inócua. Na medida em que a massagem é uma função do toque, o massagista deve estar em contato com os sentimentos da pessoa massageada. Ela está com medo? As pessoas têm medo de ser tocadas – e machucadas. Ela respira ou contém a respiração? O mero fato de prender a respiração fará que o procedimento todo seja mais doloroso do que agradável. A habilidade do massagista consiste em sentir os músculos contraídos do corpo de alguém e saber que tipo de manipulação e de pressão deverá usar para descontraí-los. É necessário também que tenha experiência em massagear. Finalmente, a qualidade do toque e da mão da pessoa que massageia é fundamental. Mãos frias, sem vida, fazem o outro se encolher em vez de relaxar e se expandir ao toque. Dedos fracos e débeis não geram estímulos.

Tocar é um processo energético de contato. Por meio do toque, a energia flui de uma pessoa a outra. É por isso que o toque de certas mãos tem efeito curativo. Ao fazer uma massagem, é preciso se manter relaxado e carregado. Seus movimentos devem ser naturais, e não mecânicos. Você não está trabalhando com paus ou pedras. Mantenha a respiração profunda e plena, a fim de angariar energia para colocar em suas mãos. E não execute nenhuma massagem se não tiver prazer em fazê-la, pois seu toque não será uma experiência positiva para a outra pessoa.

Este não é um livro de massagem, que por si só é uma arte. Embora ela não proporcione o que os exercícios proporcionam, usamos algumas de suas técnicas regularmente pelas razões enunciadas até aqui. A massagem é feita pelos participantes dos grupos entre si. Ela ajuda, direta e literalmente, as pessoas a entrarem em contato umas com as outras e promove a sensação de contato e proximidade. Neste capítulo, descreveremos essas técnicas, que podem ser feitas por pessoas sem nenhum treino anterior ou experiência em massagem. Além disso, algumas delas podem ser feitas em casa. O marido pode ajudar a esposa a relaxar, trabalhando determinadas áreas contraídas. A esposa pode fazer o mesmo ao marido. As pessoas podem aliviar uma dor de cabeça tensional (não a de enxaqueca) se souberem algumas manobras simples. Falaremos sobre isso mais adiante.

Descreveremos também uma massagem muito interessante, o caminhar sobre as costas, que deve ser feita pelo parceiro com as devidas precauções, mas é bastante relaxante.

Exercício 95 – Massagem das costas e dos ombros

A pessoa que vai ser massageada se senta no chão com as pernas cruzadas, de preferência com os ombros despidos. O massageador ajoelha-se atrás de seu parceiro, tomando a posição o mais confortável possível. Ambos devem estar relaxados e respirando naturalmente. As instruções a seguir são dirigidas à pessoa que faz a massagem.

Coloque as mãos levemente sobre os ombros do seu parceiro e mova os dedos sobre eles, descendo pelas costas, pressionando delicadamente para sentir qualquer músculo tenso. Estes serão sentidos como nós duros sob seus dedos.

Com os dedos se tocando de leve, use os polegares para desfazer esses nós. Se, para seu companheiro, for muito doloroso, faça isso com suavidade. Trabalhe toda a parte superior das costas.

Coloque as mãos sobre os ombros e pressione-os para baixo de modo forte e firme, até que a pessoa os deixe pender. Não force; a pressão contínua e o peso do seu corpo serão suficientes. Assegure-se de que seu parceiro esteja respirando profundamente.

Usando as laterais das mãos, tamborile moderadamente sobre as costas da pessoa, em volta das áreas tensas. Isso promoverá a soltura de algumas tensões.

Se o seu parceiro quiser mais força, use os nós dos dedos para dissolver a massa muscular dura na área das escápulas. Lembre-se de que você está fazendo isso para ajudá-lo a sentir-se bem, e não para machucá-lo.

FIGURA 63 – **Ombros e costas**

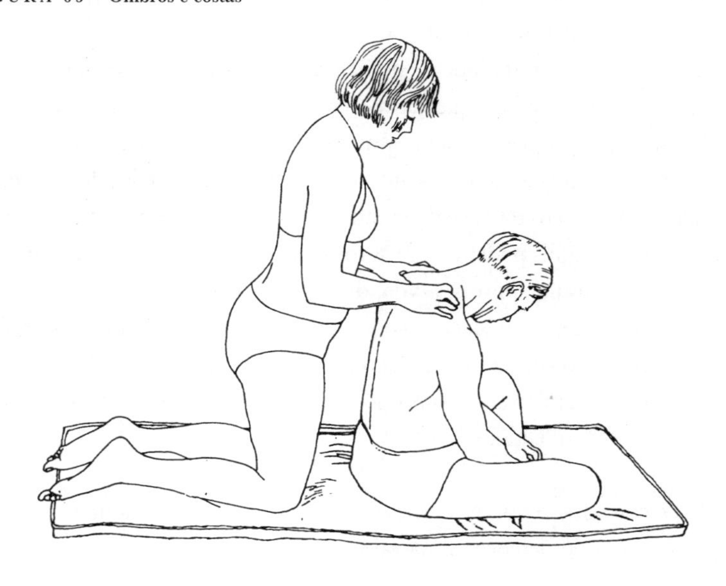

Agora, com a ponta dos dedos, massageie novamente a área toda, repassando as articulações dos ombros até a parte superior do braço e abaixo das costas. As regiões críticas são as escápulas e em torno delas.

» Você conseguiu sentir algum músculo contraído ou espástico? Poucas pessoas não os têm.
» Os ombros de seu companheiro penderam e relaxaram com sua massagem?
» A respiração dele ficou mais profunda? Ele aproveitou a massagem?

Exercício 96 – Massagem para os músculos do pescoço

O pescoço é uma região em que as tensões se desenvolvem desde cedo e lá persistem. A contração dos músculos do pescoço pode ter várias causas.

Um pescoço tenso denota falso orgulho e obstinação. Um pescoço curto, geralmente devido à contração dos músculos que passam ao lado dele, pode indicar que a pessoa teme que lhe "cortem o pescoço". Um pescoço fino indica falta de comunicação total entre a cabeça e o resto do corpo – um estreitamento do canal, por assim dizer. Em todos os casos, a tensão expressa a necessidade de firmar-se pela cabeça, o medo de perder o controle. Quando tais tensões são muito graves e prolongadas, podem provocar artrose nas vértebras cervicais.

A massagem dos músculos do pescoço não removerá a tensão, mas ajudará consideravelmente. Em geral são necessários procedimentos fortes para que a pessoa consiga soltar a cabeça.

Com seu parceiro sentado de pernas cruzadas, ajoelhe-se ao lado esquerdo dele. Coloque a mão esquerda na testa dele, para obter um apoio mais firme, e manipule o pescoço com a mão direita. Para fazer essa massagem, siga todas as precauções descritas anteriormente. Com os dedos da mão direita, apalpe os músculos da base do crânio até a raiz do pescoço. Sinta as características deles: alguns podem estar duros como anéis de aço; outros, tensos e esticados como arame; outros, ainda, duros e enodoados.

Usando os dedos, desfaça a contração dos músculos enquanto apoia a cabeça do parceiro com a mão esquerda. É importante dizer a ele que continue respirando e emitindo algum tipo de som, para que você possa parar se perceber que está doendo.

» Você consegue sentir as tensões na base do crânio? E ao longo das costas e nos lados do pescoço? E na raiz do pescoço?

» Seu parceiro sentiu a cabeça mais solta após a massagem?
» Você respirou normalmente durante a massagem?
» *Nota*: os canhotos devem trabalhar do lado oposto, pois sua mão esquerda é mais forte.

Exercício 97 – Alívio para cefaleias tensionais

A posição é a mesma do exercício anterior. Comece a massagem na base do crânio e trabalhe para cima até o topo da cabeça.

Coloque a mão esquerda na testa do parceiro e a direita na junção da cabeça com o pescoço.

Primeiro, sinta as tensões por toda essa área até atingir a porção mastoidea do osso temporal, localizado atrás das orelhas. Para sentir a tensão, pressione com firmeza e deslize a ponta dos dedos.

Com os três primeiros dedos, massageie os músculos fortemente. Deve haver uma dor discreta se você estiver trabalhando corretamente.

Usando todos os dedos, massageie devagar, indo para cima e movendo o couro cabeludo até que as duas mãos se encontrem.

Passe para o outro lado do seu parceiro. Coloque a mão direita sobre a testa dele, com os dedos cobrindo o topo da cabeça. Posicione a mão esquerda na parte de trás da cabeça dele. Você deverá abranger o couro cabeludo todo com as mãos. Com os dedos, mova o couro cabeludo para trás e para a frente, soltando-o. Se você conseguir relaxar o couro cabeludo, a dor de cabeça provavelmente desaparecerá, pois o mais provável é que seja causada por uma tensão nessa região.

Embora essa técnica de massagem tenha sido desenvolvida com a finalidade de eliminar dores de cabeça, tornou-se parte da rotina regular de massagem bioenergética. Depois dela, em geral, as pessoas sentem a cabeça mais leve.

Se o alívio for apenas parcial, você pode repetir a manobra. Porém, se não funcionar, não insista. Se a dor de cabeça for proveniente de enxaqueca, esse procedimento não funcionará.

Exercício 98 – Massagem na região lombar

Esta massagem é feita com a pessoa deitada de bruços num colchão, colchonete ou cama. O massageador fica ajoelhado com um dos joelhos entre as pernas daquele que receberá a mensagem (veja a Figura 64).

Coloque as mãos na cintura da pessoa, com os polegares apontados para a linha mediana das costas. Sinta, com os polegares, os músculos da região lombossacral, isto é, entre o fim das costelas e os glúteos.

Desmanche a contração muscular com os polegares pressionando firmemente e deslizando-os para cima e para baixo.

Certifique-se de que seu parceiro respira profundamente enquanto você o massageia.

Você também pode usar os punhos nesses músculos. Coloque-os na linha da cintura das costas do seu parceiro e pressione para baixo com força quando ele estiver expirando. Alivie a pressão quando ele estiver inspirando, e depois pressione quando ele expirar de novo. É preciso fazer as manobras diversas vezes para soltar esses músculos extremamente fortes e em geral muito contraídos.

As costas também podem ser trabalhadas em sentido ascendente, usando os punhos para fazer pressão sobre os músculos localizados ao longo da coluna, quando o seu parceiro estiver expirando. A pressão facilitará a expiração.

Este exercício não deve ser executado quando a pessoa estiver com dor aguda na lombar. Entretanto, no caso de quem sofre de dor crônica menos intensa nessa área, é um movimento eficaz.

FIGURA 64 – Região lombar

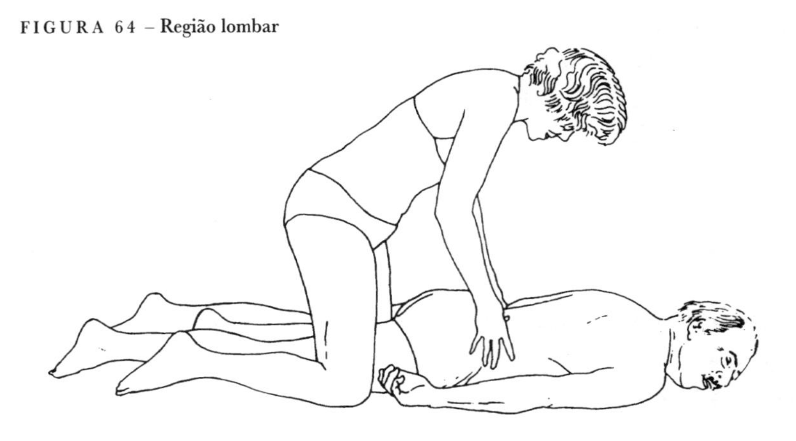

Exercício 99 – Massagem nos glúteos

É feita a partir da mesma posição utilizada no exercício anterior. Colocam-se as mãos sobre os glúteos, e os polegares são usados para pressionar e massagear todos os músculos dessa região.

O método mais indicado é trabalhar simultaneamente ambos os lados, começando da parte superior dos glúteos e indo para a inferior. Depois, pressione com firmeza a massa central dos músculos.

Não provoque uma dor indevida. Se algum ponto se tornar muito doloroso, diminua a pressão.

» Se você trabalhou com tranquilidade e uniformemente, seu parceiro sentirá calor e um leve formigamento nos pés. Isso aconteceu?
» Você percebeu a tensão nos pés?

Exercício 100 – Massagem nos pés de bruços

Considero a massagem nos pés a parte mais agradável de qualquer massagem. Entretanto, algumas pessoas têm uma hiper-sensibilidade na sola e não toleram muita pressão. Isso se deve a uma espasticidade dos músculos dessa região. A massagem de tais músculos ajuda a relaxá-los e, com o tempo, faz que percam a hiper-sensibilidade. Quando isso ocorre, o prazer de uma massagem nos pés aumenta consideravelmente. Se os pés do seu parceiro são sensíveis à pressão, faça a massagem com delicadeza. Com seu parceiro de bruços, segure, dando apoio com a mão esquerda, o dorso ou superfície superior do pé dele; o punho da sua mão direita deve ficar contra a sola. Esfregue o punho para cima e para baixo com suavidade. Faça o mesmo usando agora os nós dos dedos, se seu parceiro quiser.

Segure com a mão esquerda o pé do seu parceiro e massageie cada um dos artelhos com a mão direita. Levante o pé dele, fazendo-o flexionar o joelho. Segure o tornozelo e pressione a planta dos pés com a palma da mão.

Segure a planta dos pés com as duas mãos, fazendo pressão para baixo, e, com delicadeza, separe um artelho do outro.

Repita as mesmas manobras com o outro pé.

» Quando terminar, coloque as mãos totalmente estendidas sobre as solas e mantenha o contato por cerca de um minuto. Quando retirar as mãos, seu parceiro deverá reter ainda a impressão de contato por algum tempo. Isso aconteceu?

FIGURA 65 – Massagem nos pés

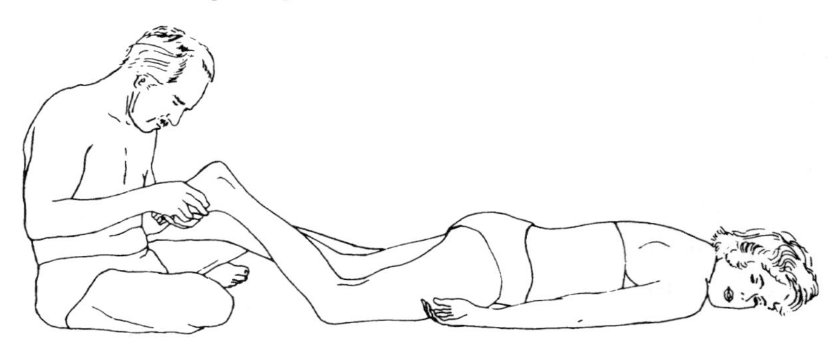

Exercício 101 – Massagem nos pés de costas

Coloque seu parceiro deitado de costas sobre uma cama ou colchonete no chão. Sente-se a seus pés.

Segure o pé esquerdo do seu parceiro e delicadamente massageie a sola com os polegares. Coloque a mão esquerda sob o tornozelo e a palma da mão direita na planta dos pés. Pressione firmemente com a mão direita. Isso faz que haja uma flexão e uma descontração do músculo, promovendo uma sensação boa de contato entre o pé e a mão.

Coloque a base da palma das mãos contra a sola do pé do seu parceiro e segure os artelhos. Faça pressão com essa parte da palma e separe os artelhos com os dedos. Essa manobra tem como finalidade o alargamento do pé. Segure o peito do pé com a mão esquerda e coloque um punho contra a sola.

Esfregue a mão fechada ao longo da sola usando a parte plana do punho. Depois, se seu parceiro aguentar, use os nós dos dedos e esfregue-os ao longo da sola.

Segure os artelhos e dobre-os para baixo, mas sem usar muita força.

Passe o dedo indicador pelo espaço entre os artelhos, massageando com suavidade.

Repita esses procedimentos com o outro pé.

Exercício 102 – Andar sobre as costas

Esta é uma forma de massagem feita com os pés sobre as costas da pessoa que está deitada numa cama ou colchonete no chão. Ambos devem estar encostados na parede, de modo que a pessoa que for andar sobre as costas consiga se apoiar. Pode-se também substituí-los por uma cadeira para manter o equilíbrio. Essa manobra da massagem é peculiar à técnica bioenergética e muito apreciada pela maioria das pessoas. É usada nas sessões de terapia para ajudar a respirar mais profundamente por meio do relaxamento dos músculos das costas. Porém, pessoas com problemas na região lombar não devem receber essa massagem. Além disso, a pessoa que faz a massagem não pode ser muito pesada para não machucar o parceiro.

Aquele que vai ser massageado deita-se de bruços, com as pernas soltas e estendidas, num colchão de 15 cm de altura ou numa cama. Quem fará a massagem deve estar descalço (veja a Figura 66).

Coloque um pé nas costas de seu parceiro, transversalmente à linha da cintura, e o outro, também transversalmente, sobre os glúteos. Peça a seu parceiro para respirar de forma audível. Quando ele expirar, passe o peso do seu corpo para o pé que está sobre a cintura. Quando ele inspirar, passe o peso para o pé que está sobre as nádegas. Continue fazendo isso no ritmo da respiração do seu parceiro por cerca de um minuto.

Mantendo o equilíbrio, coloque um pé ao nível das escápulas e o outro na linha da cintura. Novamente, desloque o peso do corpo de acordo com a respiração do seu parceiro, de modo que a pressão sobre a cintura seja exercida durante a fase de expiração. Continue por cerca de um minuto.

Se seu parceiro conseguir aguentar seu peso, coloque os dois pés transversalmente sobre as escápulas. Peça-lhe que relaxe, sem lutar contra seu peso, de modo que perceba que será capaz de respirar bem com essa pressão. Vá caminhando na direção dos glúteos com passos muito curtos, um pé após o outro, enquanto seu companheiro relaxa e se entrega à pressão do seu peso. O "passeio" termina com os dois pés sobre os glúteos.

Gire os pés de modo que fiquem para a frente, paralelos ao sacro. Equilibrando-se, balance ritmicamente para cima e para baixo. Isso ajuda a soltar a pelve e permite que a respiração se aprofunde.

» Você conseguiu perceber a respiração do seu parceiro enquanto andava sobre as costas dele? Não haverá nenhum esforço indevido se ele respirar junto com seus movimentos.
» Seu parceiro sentiu-se mais relaxado depois desse procedimento?
» Você foi capaz de sentir a tensão das costas dele através dos seus pés?

FIGURA 66 – Andar sobre as costas

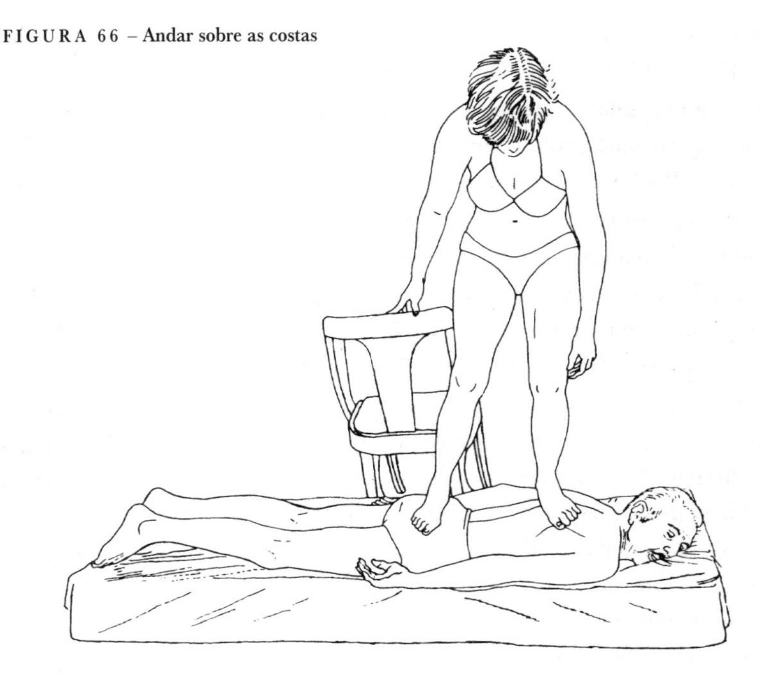

Com um pouco de prática, você se aperfeiçoará nesse tipo de massagem para as costas e perceberá que muitos a requisitarão.

Ao se familiarizar com as técnicas de massagem descritas neste capítulo, você poderá estender o trabalho de massagem para outras áreas do corpo. Por exemplo, a massagem nas panturrilhas e coxas é sempre bem-vinda e apreciada. O princípio básico a seguir é o da sensibilidade para com seu parceiro. Sentir seu corpo e perceber quais movimentos fazem que ele se sinta melhor. A massagem será tanto mais valiosa quanto mais prazer proporcionar.

PARTE III

Organização de um esquema regular de exercícios

13. Exercícios em casa

No Capítulo 7, oferecemos a você alguns conselhos para fazer exercícios sozinho e em casa. Aqui gostaríamos de dar sugestões sobre os mais simples de executar e que, em geral, proporcionam sensações mais agradáveis.

Na hipótese de você só ter tempo para fazer um exercício por dia, recomendamos que faça o Exercício 1 – aquele no qual você se curva para a frente e toca o chão com a ponta dos dedos (veja as p. 18-19). Os joelhos ficam levemente flexionados e o peso, sobre a planta dos pés. Ele induz vibrações nas pernas. Se elas vibrarem, você respirará mais fácil e profundamente. Porém, se não ocorrerem vibrações, este exercício o ajudará a entrar em contato com seus pés e pernas e a se sentir mais *grounded.* É excelente para começar o dia, mas pode ser feito a qualquer hora e lugar, caso sinta necessidade de aliviar tensões. No máximo, ele requer apenas um ou dois minutos.

Se quiser fazer dois exercícios, faça o arco que corresponde ao Exercício 4 (veja as p. 27-28). Comece com o arco e permaneça, por cerca de um minuto, realizando a respiração abdominal. Prossiga então com o Exercício 1 para as pernas vibrarem. É muito mais fácil conseguir a vibração das pernas partindo da posição do arco.

Em geral, os jovens não sentem dificuldade de conseguir vibração nas pernas, mas os mais velhos, sim, pelo enrijecimento devido à idade. O enrijecimento também é maior ao levantar-se pela manhã do que no decorrer do dia, quando a pessoa já se movimentou. Se isso ocorre com você, sugerimos que faça o Exercício 19 do grupo dos exercícios-padrão (veja as p. 65-66) depois dos dois exercícios descritos anteriormente. Nele, você transfere o peso para uma perna flexionando completamente o joelho. Permita que o peso caia sobre tal pé até que a posição se torne desconfortável; transfira-o, então, para o outro pé. Faça isso duas vezes com cada perna e perceberá que suas pernas estão mais vivas e que seu centro de gravidade desceu. Você se sentirá mais próximo do chão.

Não faça estes exercícios de modo mecânico. Leia as instruções e preste atenção às perguntas e comentários depois de cada um deles. Você os está fazendo para entrar em contato com seu corpo, e isso requer que sua consciência se dirija para o que está acontecendo nele. Também é preciso deixar a respiração solta, então é importante que essa função seja objeto de sua atenção.

Se você fizer mais que estes três exercícios regularmente, sobretudo pela manhã, começará o dia com uma sensação de bem-estar pessoal e energia. Daqui para a frente, a escolha é aberta e vai variar de acordo com sua disponibilidade e com o que você sente e necessita. Talvez você queira, por exemplo, soltar a parte superior do corpo de manhã. Escolha um dos exercícios para essa região e inclua-o no seu repertório. Não precisa fazer sempre o mesmo exercício. Depois de familiarizar-se com esses, faça aqueles que o ajudam em tensões específicas.

A maioria das pessoas tem muita tensão nas costas. O banco de bioenergética é um bom recurso para esse tipo de problema. Recomendamos seu uso para todos aqueles em terapia bioenergética. Tente o Exercício 83 (veja as p. 112-114). No começo, coloque o banco encostado na cama. Sinta qual é o seu jeito até atingir a segurança que vem com a prática. Lembre-se, depois de usar o banco, de inclinar-se para a frente na posição de vibração.

Por outro lado, talvez você seja uma pessoa jovem, atlética e em boa forma física. Seu interesse por estes exercícios é o de proporcionar ainda mais vitalidade ao seu corpo. Você pode tentar todos os exercícios com o banco, contanto que não tente provar que está acima da necessidade de fazê-los e que pode dominá-los facilmente. Ninguém em nossa cultura está livre de tensões, e estes exercícios terão algum efeito em você. Se exagerar logo de início, poderá ficar angustiado e dolorido. Seja cuidadoso e vá com calma. Se entrar em contato com o que está acontecendo com seu corpo, não há perigo em nenhum deles. E, com a prática, pessoas mais velhas podem fazê-los tão bem quanto as mais jovens.

A maioria de nós tem necessidade de desenvolver a autoexpressão. Dois dos exercícios expressivos do Capítulo 9 podem ser feitos em casa com benefícios considerávei: "Espernear" (veja as p. 48-49) e "Expressar raiva" (veja as p. 106-107). Eles certamente ajudarão a desenvolver sua agressividade e assertividade – qualidades que precisam ser aprimoradas em muitas pessoas. Recomendamos que estes exercícios sejam feitos em casa – nós também os fazemos – e incluídos em suas tarefas diárias, se tiver tempo. Leia as instruções e os comentários cuidadosamente antes de executá-los.

Os exercícios sexuais não resolverão seus problemas nessa área. Porém, eles vão colaborar no aumento das sensações sexuais e do seu prazer. Você pode adicionar qualquer um deles ao seu repertório, mas faça-os depois dos exercícios preliminares recomendados aqui.

Você é quem decide. Seu tempo e energia são o melhor investimento em si mesmo, pois rendem saúde e prazer, que valem mais que dinheiro e poder. Você é seu corpo, e vice-versa. Usamos o termo "exercício" para descrever como se trabalha com o próprio corpo, ajudando-o a se tornar mais vivo. Mas "exercício" é uma designação menor para esses procedimentos bioenergéticos. Você, na verdade, está cuidando do seu corpo – o que implica interesse, sentimento e afeto. Não exercite seu corpo como se ele fosse uma máquina ou um cavalo. *Seja* seu corpo nos seus movimentos, ações e expressões. É disso que trata este livro.

14. Uma sessão de exercícios

Fazer exercícios em grupo é sempre mais prazeroso e, portanto, mais fácil do que fazê-los sozinho. Na medida em que eles são extremamente úteis, organizamos aulas e incentivamos nossos pacientes a frequentá-las. As reações têm sido tão positivas que gostaríamos de promovê-las onde quer que a terapia bioenergética esteja sendo aplicada.

Uma aula pode contar com quatro a 20 participantes e deve ter um líder. É importante que este seja realmente interessado e se sinta bem fazendo os exercícios, pois sua atitude é captada pelos participantes. Ele também deve ter um considerável conhecimento de bioenergética e muita experiência nela. Seu papel é duplo: o de dirigir corretamente o grupo e o de interpretar para cada participante o significado de suas experiências corporais. Outra função é a de graduar a capacidade de cada um de tolerar as pressões dos exercícios. Se a pressão for muito forte, é preciso alertar a pessoa para fazê-lo com mais calma. Não se ganha nada forçando movimentos. O objetivo é sentir, e não desempenhar.

Sendo esse o objetivo, frequentemente irrompem emoções de modo espontâneo no decorrer da aula. Por vezes alguém começa a chorar e soluçar, ou se sente oprimido pelas novas sensações corporais. Nesse caso, o líder deve se sintonizar com a pessoa e manter-se em contato com o que está acontecendo. Para tanto, deve dizer apenas: "Tudo bem, entregue-se ao seu sentimento, expresse-o". Se a pessoa estiver transtornada ou perturbada, o líder pode aproximar-se e tranquilizá-la, conversando com ela. Todavia, a não ser que seja um grupo de terapia, é desaconselhável tentar trabalhar os motivos daquela explosão emocional, a fim de que não se percam de vista os objetivos dos exercícios e de que os outros não se sintam postos de lado.

O líder participa pessoalmente dos exercícios e também os dirige. Ao desempenhá-los, impõe um exemplo a ser seguido, ao mesmo tempo que observa os elementos do grupo para ajudá-los a obter o máximo de benefício pelas posições usadas. As pessoas não veem a si mesmas e por vezes imaginam que estão na posição correta quando de fato não estão. Somente por meio do alinhamento correto do corpo é que poderão sentir o fluxo de excitação da cabeça aos pés.

O líder deve explicitar o propósito particular de cada exercício e o objetivo global do trabalho com o corpo. Os exercícios de bioenergética diferem dos outros na medida em que são propostos para ajudar as pessoas a se deixarem levar pelo corpo, a se entregarem a ele, em vez de desenvolver força muscular. Sobretudo os exercícios na posição de pressão facilitam a liberação de contenções e enrijecimentos, do que resulta se sentir um pouco cansado e externamente abatido, mas internamente vibrante, excitado e alegre. Ao final de uma sessão de exercícios, a respiração dos participantes deverá estar mais fácil e tranquila, a cor da pele, mais acentuada, e os olhos, mais brilhantes. O mesmo acontece com o líder. Cada um deve se sentir mais em contato consigo próprio e mais *grounded.*

Antes de começar uma sessão, cada participante deve revisar seu histórico clínico e fazer um checape com um médico. Não acreditamos que os exercícios deste livro, se executados corretamente, levem a algum perigo, mas é desaconselhável negligenciar qualquer cuidado. Por essa razão, o líder precisa ficar atento a qualquer instabilidade emocional dos participantes. Algumas pessoas requerem aulas especiais, nas quais os exercícios são destinados ao fortalecimento do ego.

Procure usar roupas adequadas para fazer os exercícios. O corpo tem de estar relativamente exposto. As mulheres devem usar maiôs ou malhas de balé, com os braços e pernas despidos; os homens, calções ou shorts.

Uma das vantagens de tais grupos é que os membros podem observar o corpo e os movimentos uns dos outros. É mais fácil ver as tensões no corpo de outra pessoa que senti-las em si próprio. Assim, cada um pode chegar ao conhecimento das tensões comuns que afligem a todos nós. Além disso, o grupo funciona como apoio para o trabalho corporal e como incentivo quando se observam os progressos dos companheiros.

As aulas podem ser dadas em estabelecimentos particulares ou instituições. É melhor que haja certa homogeneidade entre os membros do grupo, pois ela promove a identificação de uns com os outros e o uso mais seletivo dos exercícios. Assim, se estiver trabalhando com um grupo de pacientes de um hospital, você pode escolher os exercícios que sejam menos extenuantes e emotivos, optando por aqueles que visam ajudar o indivíduo a atingir consciência e a entrar em contato com seu corpo. Exercícios com crianças ou adolescentes em escolas serão diferentes dos feitos com grupos particulares de adultos. Esses tipos de aula foram empregados (com sucesso considerável), embora os autores deste livro não tenham tido nenhuma experiência com tais grupos. A marca de um bom líder de exercícios bioenergéticos está em sua capacidade de adaptá-los às necessidades e possibilidades do grupo.

A maioria das aulas é mista, embora aquelas com participantes de um único gênero sejam também importantes. Nesses grupos uniformes, sobretudo quando pequenos e com encontros regulares, o líder obtém a necessária aceitação dos membros de mesmo gênero. Muitas vezes, essas aulas se assemelham à terapia em grupo. E, quando fazem parte de um programa de terapia, facilitam sobremaneira a abertura para sentimentos e para a comunicação. O trabalho corporal em bioenergética leva todas as pessoas a entrarem em contato com as bases da vida – respiração, movimento, sentimento e expressão.

As sessões costumam seguir a mesma ordem dos exercícios-padrão. Entretanto, é importante variar de tempos em tempos para evitar a monotonia. Você também pode improvisar nos exercícios-padrão, seguindo as linhas bioenergéticas básicas. Não incluímos todos os exercícios que usamos e estamos constantemente imaginando novos para atender às necessidades dos participantes ou às nossas. Muitos deles são criados com base na experiência pessoal.

Dependendo da força do ego dos membros do grupo, você pode incluir os exercícios de autoexpressão. Nas mãos de um líder qualificado e competente, eles são poderosos libertadores de tensão.

Acreditamos que os exercícios de massagem devem sempre fazer parte do programa, se o tempo permitir. As pessoas gostam de se ajudar. O contato físico amplia a intimidade e a unidade do grupo. Alguns têm objeções quanto a tocar ou ser tocados, e devem ser respeitados pelo líder e pelos outros membros do grupo. Essas objeções estão baseadas no medo e normalmente vão desaparecendo no curso do tempo.

Um programa de exercícios para uma turma avançada deve incluir alguns dos exercícios sexuais. A não ser que as tensões pélvicas sejam liberadas e os sentimentos sexuais tenham abertura para se manifestar, o corpo não consegue retomar sua graça e vitalidade naturais. Indicamos, repetidas vezes, que todas as vibrações acabarão por envolver a pelve, se elas se desenvolverem completamente e levarem a movimentos pélvicos espontâneos. Estar vibrantemente vivo é estar sexualmente vivo.

Concluindo, gostaríamos de tecer algumas considerações sobre o papel destes exercícios na sua vida. Não se trata de uma simples brincadeira. O ato de exercitar-se pode ser prazeroso porque faz que a pessoa se sinta bem, mas é uma medida preventiva, como escovar os dentes. As consequências da falta de atenção ao corpo são sérias.

Contudo, estes exercícios de bioenergética, embora importantes, não substituem uma vida saudável. Para estar vibrantemente vivo, é necessário se sentir bem com relação à própria vida, ter satisfação no trabalho e prazer nos contatos pessoais.

Temos a responsabilidade de cuidar de nós mesmos. Não podemos abusar de comida e álcool e esperar que os exercícios nos mantenham com uma saúde esplêndida. A pessoa interessada por seu corpo tenta comer de forma inteligente e saudável. Procura dormir bem, evita tensões desnecessárias e se permite respirar e sentir a si próprio.

Esperamos que estes exercícios o ajudem a estar mais presente como pessoa em todas as situações, isto é, mais incorporado naquilo que faz. Sabemos que eles o ajudarão a enfrentar melhor as pressões da vida moderna. Mas fazer os exercícios de bioenergética em casa ou nas aulas não substitui outras atividades físicas. Estar em contato com seu corpo deve alertá-lo para as necessidades de se comprometer com outras atividades corporais prazerosas. Entre elas, a mais simples é caminhar. Caminhar por prazer, não somente para ir a algum lugar. A mais gostosa e alegre, além do sexo, é dançar. É uma pena que façamos isso tão pouco. A atividade corporal mais saudável é a natação. Nadando, o corpo está livre da força da gravidade, e a respiração e o movimento têm de ser coordenados.

A meta do trabalho bioenergético é ajudar cada um a "se deixar levar" pelo prazer. O prazer é uma reação corporal. A capacidade para o prazer é uma função da vitalidade do corpo.

Notas

1. Lowen, A. *O corpo em depressão*. ed. rev. São Paulo: Summus, no prelo.
2. *Ground* em inglês significa chão, base. *Grounding*, ter base. *Grounded*, a pessoa que tem base. O termo é muito usado em linguagem bioenergética, designando o contato com o chão e, a partir desse contato, a conscientização do corpo embasado. Como não encontramos em português a tradução apropriada do termo, preferimos mantê-lo como no original. [N. T.]
3. Todd, M. E. *The thinking body*. Nova York: Paul B. Hoeber, 1937, p. 160. Reeditado por Dance Horizons, Nova York.
4. Durckheim, K. *Hara, the vital center of man*. Londres: George Allen & Unwin, 1962, p. 46.
5. Uma discussão mais ampla da dinâmica da pressão encontra-se no livro *Bioenergética*, também de Alexander Lowen. São Paulo: Summus, 2017.
6. O tai chi é um conjunto de exercícios que vêm sendo praticados há séculos na China. Almejam o *grounding* e fornecer ao indivíduo um senso de harmonia com o universo. Há semelhança entre esses exercícios e os da bioenergética. Estes últimos têm um enfoque mais específico no alívio de certos problemas. A dinâmica da posição em arco é mais bem explicada no livro *Bioenergética* (Summus, 2017).
7. Yesudian, S.; Haich, E. *Yoga and health*. Nova York: Harper & Bros., 1953, p. 79.
8. O grifo não faz parte da obra original. Pareceu importante às tradutoras enfatizar essa colocação do autor na medida em que se refere a um dos pontos básicos da teoria bioenergética proposta por Lowen, no que diz respeito à liberação ou contenção de sentimentos. [N. T.]
9. Uma discussão mais completa sobre a relação entre masoquismo e dor pode ser encontrada no livro *Prazer – Uma abordagem criativa da vida* (Summus, 2020).
10. Os cotovelos também ficam para baixo, e não para os lados. [N. T.].
11. Todd, M. E. *The thinking body*. Nova York: Paul B. Hoeber, 1937, p. 281.
12. O método Kirlian de fotografia foi inventado pelos russos. A chapa mostra a radiação vinda da mão fotografada num forte campo eletrostático.

Grupo Summus
www.gruposummus.com.br
www.gruposummus.com.br
Acesse, conheça o nosso catálogo e cadastre-se para receber informações sobre os lançamentos.

www.gruposummus.com.br